今は亡きあの人へ伝えたい言葉 8

二〇二一年版

鎌倉新書

目次

本書に収録した手紙の年齢、都道府県は応募時のものです

はじめに

選考委員　清水 祐孝

今では「終活」という言葉が一般的になっておりますが、鎌倉新書はこれまで人生の最期に必要なサービスに係わる業界の中で、メディアという役割を担ってまいりました。

そこでは、お客様がさまざまな思いを抱えながら、大切なご家族の死と向き合っている姿に接する機会がたくさんあります。

「生きている間には伝えられなかったけれども、こういったことを伝えたかったんだよね」というお客様の声は非常によく伺いました。それがきっかけで「今は亡きあの人へ伝えたい言葉」は生まれました。

こういう思いではじまった取り組みも、8回目を迎えることができました。

どのお手紙もとても想いにあふれていて、読んでいて（大げさでなく）涙がこぼれることが多々ありました。こうしたお手紙を、何を基準に選べばいいのか、いつも大変悩みます。

今回、中でも強く印象に残っている手紙のひとつに、亡くなったご主人と共に歩んだ日々の想い出を、感謝の言葉と共に淡々と箇条書きにしてつづったお手紙がありました。

故人の人柄が、そして故人を想う奥様のお気持ちがあふれており、寄り添って生きてきたお二人の姿が目に浮かぶようでした。

このほかにも、お手紙を書いた方の素直な気持ちを感じる、心にしみるメッセージがたくさんありました。

こうして振り返ってみると、文章としての完成度ではなく、書いた方の姿が浮かぶかどうかというのが、私の中の基準であるのかもしれません。

今回、上智大学の浅見昇吾先生、エッセイストの岸本葉子先生と議論を重ねながら世の中で広く読んでいただきたいお手紙を選びました。

末筆にはなりますが、両先生とお手紙を送ってくださった多くの皆さまに、この場を借りて心より御礼を申し上げます。

ありがとうございました。

（株式会社鎌倉新書 代表取締役会長ＣＥＯ）

金賞

祖父へ

五文字の後悔

樋口 美来（新潟県）16歳

拝啓

すがすがしい初夏の季節となりました。おじいちゃん三年ぶりですね。天国で元気にしていますか？　先月、おばあちゃんがおじいちゃんとお喋りしたくて天国に会いに行きましたが、その時、いつも着ていた割烹着を持っていったから今頃二人でおばあちゃんの手料理を食べている頃でしょうか？　これからまた仲良く暮してください。

さて、なぜ今、おじいちゃんに手紙を書いているのかというと、どうしても伝えたいことがあるからです。私は物心ついた頃から、おじいちゃんは無口で笑わない、素っ気ない人だと思っていました。だから、今日までずっと話す時は敬語でした。おじいちゃんのことを何も知らなかった私を許して欲しいです。いえ、正しくは「知ろうとしなかった私」をです。無口で、笑わなくて、素っ気ないこと全てに理由があったことをおじいちゃんが亡くなってから初めて知りました。

亡くなった次の日、家族で写真を見返していると、そこにはとびっきりの笑顔でお友達と写っているおじいちゃんがいました。徐々に時を刻むにつれ、写真からは笑顔だけが消えていました。認知症だったのですね。それも私が生まれる前から。しかし、もしたくさん話しかけていたら、もっともっとおじいちゃんのことを知ることができたのに。笑顔が見れたかもしれないのに。今思うと好きな食べ物も、テレビ番組も、趣味も知りません。勝手に見えない壁を作っていたのは私のほうでした。ごめんなさい。

葬儀の時、会場には二百名近くの方が来てくださいましたね。それは生前、おじいちゃんがお友達を大切にしていたからでしょう。そして、私にも一つだけしっかりと覚えていることがあります。それは私が五、六歳の時、たった一度だけおじいちゃんの膝の上に座ったことです。お喋りこそしませんでしたが、確かにあの時、大切にされているんだなと感じました。ぬくもりを感じました。

「ありがとう」「大好きだよ」と伝えればよかったです。あの時、言葉にして。親戚のおじさんに言われました。「人が亡くなった時、後悔しない人はいないよ」と。今度はいつ会えるかも分からないのに、顔や名前も忘れられるかもしれないのに。そんな、たった五文字の短い言葉を言うことが出来ませんでした。今になって、後悔の気持ちからか涙が止まりません。

おじいちゃん、約束します。これからは思ったことはしっかり相手に伝えます。この手紙のように。だから次会う時はたくさんお喋りしようね。九十年くらいは行かないけど。じゃあ、またね。

敬具

銀賞

生まれてくれてありがとう

Ｙｏｕ（北海道）34歳

陽菜乃へ

君が天国に旅立ってからもう二年が過ぎたね。ＳＩＤＳ（乳児突然死症候群）でいなくなった君に伝えられてない言葉がある。そのことが今でも心残りなんだ。

君が亡くなった日は土曜日だけど、仕事があった。育休中のママは、当時2歳のお姉ちゃんと同じ布団で、陽菜乃と寝てた。パパとは別の部屋で。朝起こしたら悪いと思って、おはようも言わずに仕事に出かけたんだ。そのあと二度と会えなくなるなんて思いもしなかった。

会社に着いて仕事に取り掛かろうとしたら、すぐに電話がかかってきた。普段こんなタイミングで電話がくることなんてないから嫌な予感がした。ママからだった。電話の向こうで、「朝起きたら陽菜乃が息をしていないの。冷たくなって……」、泣きじゃくりながら状況を伝えてくれた。でも、混乱しててうまく説明できてなかった。隣にいた救急隊員が電話を代わり、説明してくれた。

ママが起きた時にはもう陽菜乃は冷たかった。すぐに１１９番に連絡して、救急車を待ちながら、心臓マッサージと人工呼吸を施した。だけどもう手遅れで亡くなったと。

前の日の夜、パパは君を寝かしつけようとしてたね。横になりながらお腹をトントンしたり、両手に抱えてユラユラ抱っこをしたり。いつまで経ってもなかなか寝てくれない君に、ちょっとイライラしてた。匙を投げてママに寝かしつけてと押し付けた。

そしたらママに、「そんな適当に寝かしつけるなら、産まなきゃ良かったって思っちゃうよっ！」って怒られたんだ。その時は強がってたけど、ママにそんな言葉を言わせたことを今でも後悔してる。

そんなことないよ。陽菜乃はこの言葉を聞いたから、自分はいらないと思ったのかな？

陽菜乃が産まれてきてくれて嬉しかった。たった4ヶ月だったけど、陽菜乃と会えて本当に本当に良かった。夜泣きを全然しない、手のかからない赤ちゃんだったね。お姉ちゃんが顔じゅうにシールを貼ってもニコニコしている、愛くるしい赤ちゃんだったね。お出かけもほとんどしてなくて、いろんなことを経験させられなくてごめんね。『生まれてきてくれてありがとう』。君が来てくれて幸せを感じることがいっぱいあったよ。パパのお腹の上でスヤスヤ眠る君の寝顔を見るだけで幸せだった。

君のことは決して忘れない。世の中の人が覚えていなかったとしてもパパとママは死ぬまで君のことを忘れないよ。

人生100年と言われる時代。いつそっちに行くかわからないけど、天国でまた会えるのを楽しみに、陽菜乃の分まで一生懸命生きるからね。

パパより

「ごめんね」ではなく「ありがとう」を

村瀬龍市（福岡県）68歳

お久しぶり。

毎日会っていて、お久しぶりでもないか。でも、君に手紙を書くのは暫くぶりだよな。

今日、グリーフケアCAFEに行って来た。

君を見送って、八月が来れば早や三年となるのに、いまだに寂しさ、切なさ、虚しさは薄らぐ事はない。「時間が解決してくれる」という言葉は俺には通用しない。胸底にあるのは悲嘆であり自責の念だ。仏壇の君に向かっていつも語り掛ける言葉は「先に逝かせちゃってごめんね」「気付いてやれなくてごめんね」。


CAFEでは各参加者が語る時間は十五分程度だったから心情を全て話す事などできない。でも、君を失った悲しさ寂しさ、そして発病に気付いてやれなかった俺の愚かさを自分の言葉で話せた。話しているうち不覚にも涙が出た。スタッフの代表者が「奥様に手紙を書かれたらどうですか」とアドバイスしてくれた。また、講師のかたが、心がネガティブ状態の時は、感謝の念で「ありがとう」を呟くと、深海の淵に沈んでいる心が水面に浮かんで来るという話をしてくれた。

だから、今日はお詫びではなく後悔でもなく感謝の気持ちを伝えたい。

感謝の筆頭は俺と結婚してくれたことだ。どこの馬の骨ともわからぬ俺と、しかも北海道の僻地で新婚生活を始めるのも厭わず一緒になってくれた。ほんとにありがとう。

感謝の二番手は三人の子ども達を産み育ててくれた事。三人とも良きパートナーと共に明るく温かい家庭を築き、俺たちの孫を立派に育てている。君が母親として伸び伸びと育ててくれた遺伝子が、孫達にも受け継がれている。俺は、子ども達の教育や稽古事や家族のイベントも君に任せっきりだったが、君はそれらを一手に引き受けて見事に子ども達を育て上げてくれた。ほんとにありがとう。

そして、常に俺と一緒に居てくれたこと。どこかで聞いた歌の文句じゃないが、俺のそばで支え続けてくれた。単身赴任した時も俺の甘えでヘルプを伝えると、わざわざ赴任地まで駆け付けてくれた。ほんとにありがとう。

思い出を掘り起こしながら君への感謝を数え上げたらきりがない。あまり書き連ねると「ありがとう」の大安売りになってしまいそうだ。
だから、最後のありがとうを書きたい。それは、君がこの世に誕生した事。昭和というあの時代にこの日本に君が出現した事。全てのありがとうは、そこから始まる。そして運命的に俺と巡り会った。ほんとに、ほんとにありがとう。

いずれ俺も其方に逝く日が来る。君との再会を楽しみにしてるよ。
そして、今度こそ面と向かってしっかり君に伝えよう。「ありがとう」って。

令和三年初夏
妻へ

龍市

銅賞

幼いゆえの後悔

眼鏡（千葉県）35歳

もう、母さんが亡くなってから28年がたちました。

当時、私は7才で、入退院を繰り返すのが「当たり前」と思ってしまうほど、頑張って病気と闘っていたんだね。

いつものように家族でお見舞いに行ったとき、母さんの病気の重大さを理解できなかった私は、こう言ったのを覚えているよ。

「数日後に誕生日だけど、退院できる？」

その時になんて答えてくれたのかは忘れてしまったが、その翌日に母さんは亡くなってしまったね。

薬を服用しての副作用が原因だと後に知ったよ。

いま思うと、あの時に私があのようなことを言わなければ、もっと思い出が増えていたのかもしれないと後悔してるんだ。

お見舞いに行った翌日の早朝、霧が立ち込めている中で病院にいった理由も分からなかった。

いつもの電車でなく、タクシーで行っているのも分からなかった。

家族が、眠っている母さんの前で泣いている意味も分からないまま、ただつられて泣いていたのを覚えている。

姉に、

「葬式が終わったら母さんは目を開けるの？」

と聞いたことも覚えている。

当時は、本当の意味で悲しみを得られなかったのを後悔しているよ。

私がどこまで生きるかは分からないけど、それまでに話のタネをたくさん作って、笑いながら一緒に話せるのを楽しみにしてます。

みんなに愛されたあなたへ

田野山 みより（千葉県）42歳

先日、なかなかの二枚目に成長したあなたの息子とお墓に行きました。

中学校最後の剣道の試合に向かう前に、凛々しい剣道着姿をあなたに見せてあげようかな、と思ってね。どうだった？　けっこう様になっていたでしょう？

とっくに私の身長を追い越した息子どのは、あなたが熱狂的に愛した某野球チームを最大限に表現したお墓に手を合わせながら、

「もし父さんが生きていたら、俺は剣道じゃなくて野球をやっていたのかな。」と呟きました。

「だろうね。底なしの野球バカだったからね。そして親バカだったから、きっと甲子園に行くのを信じて、あなたの勉強なんかそっちのけで一緒に野球やって、私にまた怒られていただろうね。」

そう私が答えると、彼は少し寂し気に「そっか。」と小さく微笑んでいました。

最近のあの子は、日に日にあなたに似て来ます。顔だけじゃなく、おどけた時の表情やヘンな踊り方、寝る前に玄関のカギを指差し確認で確かめる様子までがなぜか似ているのには、正直驚きの連続です。2歳までしか一緒にいられなかったというのに、ふざけ方や習慣は遺伝子レベルでの遺伝なのでしょうか。遺伝子、恐るべしです。

でも彼は、どんな事であれ、自分が父に似ているというのを本当に嬉しそうにします。「似なくて良いから！」と私は条件反射的に毒舌を吐きながらも、『本物』のあなたを知らないからこそ、せめて自分の中に父親を見られるという喜びなのかな、と思うとあの子の寂しさが垣間見えてちょっと切なくなります。

あなたは底抜けのマイペース人間で、私は散々振り回されたし、たくさん怒ったし、たくさん笑わせてもらいました。未だにあなた程のマイペースな人を私は知りません。

あなたの葬儀には、驚くほどたくさんの人達があなたに会いに来てくれました。そして、お酒を呑みお寿司を食べ、たくさん笑いながら、みんな口をそろえて言うのは、
「あいつ、ほんとバカだったよな。」

34歳の若さで、そしてたったの半年で、しかもあなたの珍しく頑固なお願いで亡くなるまで

誰にも言わなかったから、みんなにとっては本当に突然逝ってしまったというのに、ずいぶん明るくにぎやかなお通夜でした。

これがつまり、「あなた」なんだよね。みんながつい笑顔になっちゃう。

「ほんとバカ」

私も生前のあなたに何度言った事か。そしてこの13年の間にもね。まさに、『バカな子ほどかわいい』です。きっと誰もあなたの「バカさ」には勝てません。これからもみんなの心の中で、本領発揮してあげてください。

みんなに愛されたあなたへ

ごめんなさい　お母さん

伊田 真佐子（大阪府）69歳

今日ね
勤め先に離職を伝えたの
68歳になった今
介護の仕事はキツイ

仕事で接する高齢者さんは
皆人生の大先輩
いっぱい学ぶことがある
会話も楽しくていいけど
だんだん体がついていかなくなった

お母さんは同じ今の歳で
私は何の介護もしないまま逝って……

ただそれだけが悔やまれます
遠く離れているから？
何を我慢してたの？

ひとり娘だったから
いっぱい話もあったと思う
私も同じ気持ちです
もっと長生きしてほしかった
何もできなくて本当にごめんなさい

おかあちゃんと、ハグしたい

中村小百合（大阪府）72歳

母のくちグセは、「歩かんと歩けんようになる」で、毎日、毎日、歩いていました。

今、私は「歩けなくなりますよ」と、歩け歩け、運動して下さいと、言われている。


「ペットボトルのフタ、開けて」

「それぐらい開けな、あけれなくなるよ」

今の私は（年寄りは、ジュースも飲むなって言うのか！）と、フタが開けられない。

「この袋、開けへん、あけて」

「それぐらい開けやれるやろ」

今の私は（なんでこの袋、こんなにピチャッと、くっついて、開けへんのや！）と。

当時の私は、歳を取ったとは、言うもののなんでも、頼ってくる母に、少しイラッとしてました。

ある日、「テレビが無い、テレビが無い」と、母が言いだしました。
「有るやん、こんな大きなテレビが2台」
「見るのが無い、見るのが……」と、母。
「2・4・6・8・10と、チャンネルが、こんなに有るから、なんなと有るやろう」とまた、私は、怒って言ってしまいました。

私も70歳が過ぎて……ある日
「テレビが無いなあ、テレビが無い、なあお姉ちゃん、年寄りは、テレビも見るなって言うのか？　何にも無い」と、叫んでました。
「あっ、これや、お母さんがテレビが無いテレビが無いって言ってたん。チャンネルがこんなに有るのに、私が見て楽しいものが、無い。これやったんや、テレビが無いって」

私は、お墓へ行って、心の底から
「おかあさん、テレビ無いなあ～テレビ、私も、とうとうテレビが無くなったわ」と、大きな声で、言ってました。

そして今の私、腰を痛めて……ヒザまで……

〝腹筋きたえて筋力つけて下さい〟だって。

おかあさん、やっと気づいたよ。
「歩かんと歩けんようになる」やね。
わが身に起きて、身に染みて心から実感！

今度、母に会えた時
「おかあちゃん、ごめん、本当にごめん」
と、抱きしめたいです。

おかあちゃんと、ハグしたい

夫へ

感謝の50年

中林ヨシ子（大阪府）76歳

桜、満開の春　4月 夫は　静かに　76才で　旅立ちました。

お父さんへ
病院の帰り、バスの時間を　いつも気にしてくれてありがとう。
私の作ったスープ　これが一番　おいしいと言ってくれたことありがとう。
家で　胃ろうの手当をする時　看護婦さんみたい！　と　ほめてくれたこと　ありがとう。
私が　乳ガンの告知を　受けた時、泣いてくれたこと　ありがとう。
私が　抗ガン剤の治療の間　いつも　終わるまで　待っていてくれたこと　ありがとう。
私が歩けなくなった時、歩く練習をしようと　手を　つないでくれて　ありがとう。
お父さんが　旅立った　三ヶ月後　私の乳ガンは　寛解しました
十年間　いつも　病院に　つきそってもらったこと　ありがとう。
旅立つ　二日前　午後十時　私が　送った　最後の　携帯メール
読んでくれて　ありがとう。

感謝の50年

お父さん　早や　二年が　すぎました。
オロ、オロと泣いていた　当時　からは　卒業しました。
五十年余り　苦楽を共にしてきた　思い出は、私の宝物です
そのことは　私の　心の中で、光、輝いて
私の　生きる　力を　応援してくれています
いつも　私を守ってくれた　お父さんは　側には　いないけど
寂しさは　消える　ことは　ない　けれど
お父さんの　魂は、ずっと　つながっていると　信じています
今　私は
お父さんが　望んだように　息子家族の近くで　一人暮らしをしています
五年生の　晴君は、お父さんと指切りをして
約束した　野球と勉強　がんばっています。
幼稚園の　奏君は、食べることが　大好きで、お父さんに　にています。
にぎやかに　楽しく　暮らしています
お父さん　安心して下さい。
お父さん　又、逢いましょう。

特別賞

お母さんの意思、必ず継ぐからね！

鈴木 美智子（京都府）49歳

第一回視覚障害者京都マラソン大会への参加を機に、四十二歳から始めたマラソンが生きがいとなったお母さん。

唯一の家族である私は、必然的に伴走者となったが、二人三脚で走り続けた三十五年間は、私にとってかけがえのない宝物です。

「継続は力なり」「出来る人と違って、出来なければ人の何倍も何十倍も努力しないといけない」そう言いながら努力を重ね、百キロ走破も果たすスーパーウーマンのお母さん。

「二十二歳で失明し、死を選ぼうとした時期もあったけど、マラソンに出逢って生きる喜びを感じられた。この喜びを一人でも多くの人に伝えたいし、一人でも多くの人に味わってほしい」「私より幸せな人がいるのかしら。目から感じる光は無いけれど、心はいつもいい天気」と言っていたお母さんは、本当に輝いていました。

そんなお母さんを襲ったのは、恒例のホノルルマラソンから帰国後一週間での癌の発覚。

「今まで楽しい事いっぱいしたし、痛くて怖い思いして長生きしたくないし、治療は要らないので痛みだけ取って下さい」というお母さんの意向にも関わらず、どうしても長生きしてほしいという私のわがままで、痛くて辛い思いをさせてしまい、本当にごめんなさい。「美智子、今まで優しくしてくれてありがとう。美智子がシャワーに行ってる間にお母さん死んでると思うけど、強く生きていってね。」と、シャワーに行こうとする私を引き止め、手を強く握って言われた時、近日中に退院予定であったため、「そんな時期じゃないし。」としか言えなかった。それでもお母さんは、「まあいいから聞いて」と同じ事を言ったね。

その三日後、天国に行くなんて、私達医療者よりも命の長さをわかっていたんだね。「美智子が一人になっちゃうからよろしくね」と、私の心配ばかりしていたと後から多くの方に聞き、胸が張り裂けそうになります。

娘としても医療者としても、寂しさと後悔は尽きないけど、四十七年間、一緒に過ごしたお母さんの姿が、今の私の原動力で、弱い私を奮い立たせてくれています。

波乱万丈の人生にも関わらず、「苦労があったからこそ人一倍幸せを大きく感じられる」と明るく語っていたお母さん。

「自分の体験を無駄にせず、誰かの役に立てる生き方がしたい。いつか本を書きたい。」
お母さんの強い意志を生涯かけて受け継ぐから応援していてね。

お母さんの意思、必ず継ぐからね！

39　特別賞

佳作

十代からの手紙

これからもよろしくね

和智 マリン（福岡県）13歳

おじいちゃんへ

おじいちゃんは、おちゃめで毎日お魚食べて休日にはゴルフばっかり。そして、毎日お酒をベロベロになるまで飲む。なのに病気には全然ならない。一体どんな体してるの？　ってみんな思ってた。そんなおじいちゃんが、ある日突然亡くなった。全然受け入れられなかった。おじいちゃんのこと大好きだもん。亡くなるなんて聞いてないもん。ってずっと思ってた。でもね、思い出したの。おじいちゃんが私にかけてくれた言葉を。その時気づいたんだ。おじいちゃん、私の心の中で生きてるじゃんって。おじいちゃんとの思い出は色褪せないんだから、そんなに落ち込む必要ないし、私の心の中で生きてもらうことにしたの。

おじいちゃんと私が最後に交わした会話。私はおじいちゃんに相談したんだ。「もうすぐ中間テストで勉強せないかんのに全然してないっちゃん。やばい、どうしよう」って。そしたら、おじいちゃんはこう言ったんだよ。

「そんぐらいが丁度いいとよ。マリンは頑張りすぎ」

おじいちゃんは気づいてなかったかもしれないけど少し泣いちゃった。おじいちゃんは、いつも私の頑張りを認めてくれてた。だから私の味方なんだって感じてた。

おじいちゃんがかけてくれた言葉と共におじいちゃんは私の心の中で生き続けてる。だから「さようなら」とか「今までありがとう」なんて言葉は言わない。

「これからもよろしくね。」

マリンより

だいすきなくっちゃんへ

纐纈ほのか（岐阜県）18歳

くっちゃん元気ですか。天国で楽しくやってますか。


保育園のころから一緒に育ってきたくっちゃん。

私のいやしであり、いちばんの宝物であり、かけがえのない心の友。

中学一年生。私は試験に落ちた。生まれて初めての挫折。大量のしずくがこぼれる寸前の私。

足は自然とうさぎ小屋に向かってた。

「くっちゃん、落ちちゃった。」もう、涙が止まらなかった。

号泣する私のそばにそっと来てくれたね。心配そうにじっと見つめてくるくっちゃんの目を
私は忘れられない。


中学三年生。部活引退間近の私。全然勝ち上がれなかった私たちがその夏、快挙を成し遂げた。このときも私の支えは、やっぱりくっちゃん。試合当日の朝は「行ってくるね！　がんばるね！　応援しとってね！」って言うだけでパワーもらえたの。くっちゃんのおかげで準優勝

できたもん。

そして私の引退を待っとったかのように天国逝っちゃったね。まるで私の最後の試合にくっちゃんの最期の力を使ってくれたみたいに。

暑くてしんどくて倒れそうでも、いつもより力が出た。いつもより走れた。くっちゃんパワーのおかげやったんやね、きっと。

うさぎの平均をはるかに上回って長生きしてくれたくっちゃん。亡くなる前日、私の「くっちゃん」って声で近寄ってきて、なでさせてくれた。なんだかとっても寂しそうだった。なんだか私も離れたくなかった。

次の日、誰にも見えない穴の中で冷たくなってたのはくっちゃんらしかった。泣くつもりなんてなかったのに、涙は勝手にあふれてきた。冷たくなったくっちゃんを抱えて泣きじゃくった。

くっちゃんのやさしい眼、おっとりした表情。小さくてまるいくっちゃん。ゆっくりごはん食べるくっちゃん。モデル並みに写真写りが良いくっちゃん。仲間が増えたら急に若返ったくっちゃん……。もうこの世にいない、もう動かないっていう事実がただただ受け止められなくて。ずっと前から覚悟はしていたつもりなのに。でも私に飼われて、私の支えになってくれた感謝でいっぱいだったよ。

ペット（うさぎ）へ

くっちゃん、会えなくなってからもうすぐ3年が経とうとしています。私、今また泣いてる。何年経ってもだめだね。高校受験、大事な日、お墓に行ってくっちゃんにパワーもらってる。今となっては勉強机の棚に飾ってある写真も遺影になった。どうか、こんな私をこれからもいやして監視してパワー送ってね。

だいすきな　くっちゃんへ
とどけ、私の愛。くっちゃん、ありがとう。

ほのかより

だいすきなくっちゃんへ

二十代からの手紙

ママに伝えたいこと。

たなばた（新潟県）21歳

ママ。のんちゃんが3歳になったよ。

ママ。ととちゃんが立ったよ。

ママ。はるが大きい大会に出るよ。

ママ。てるが大会で2位になったよ。

ママ。毎年たくさん食べてた枝豆、買いに行ったけど売り切れてたよ。

ママ。髪の毛切ったんだよ。バッサリ切ったよ。

ママ。ローストビーフ作ったよ。ママみたいに上手く作れないし薄く切れなくてほぼステーキみたいになっちゃったよ。

ママ。ばあちゃん、何回も私のことママの名前で呼ぶんだよ。

ママ。夢にたくさん出てきてくれるから、朝起きるといなくて寂しくなっちゃうんだ。

あと、ばあちゃんが夢に出てきて欲しいって言ってたよ。

ママ。ママが使ってたキャリーバッグまだ片付けられないんだ。早く片付けなさい！　って怒るかな？

ママ。ＬＩＮＥたくさん送っていっぱいあって読みきれないかな？　たまには見てよ。
毎日たくさんＬＩＮＥ来てるよ。携帯なりっぱなしだよ。

ママ。時間が過ぎるのがはやいね。もう私22歳になっちゃうよ。
私が早くに子供産んだときもたくさん助けてくれてありがとう。
妊娠がわかったとき1番誰よりも力になってくれてありがとう。
もっといっぱい子育てについても聞きたいことがあったけど、
ママみたいなママになるからちゃんと見ててね。

本当にママの子供に生まれて世界で1番幸せ。兄弟みんなそう思ってるよ。

45歳で孫が2人。
自分の子供のように接してくれて笑った顔がたくさん見れて嬉しかったなぁ。

ありがとうね。
大好きよママ。

ママに伝えたいこと。

ママへ

イオリ（大分県）21歳

ママがいなくなって早14年。7歳だった私も、今年で22歳。どんな生活を送っていますか？

空から見てくれているのかなぁと思うから、何があったか知ってるかもしれないけど、伝えたくなったから、思いを連ねようと思います。

ママがいなくなってから、いじめにあったり、身内の関係が複雑になったり。私の口癖は「大丈夫」になって、誰にどう頼ったらいいか、分からない時期が長かった。

ママがいたら違っただろうなって時がたくさんあって、何度戻ってきて欲しいと願ったか分からない。それくらいママは大きな存在で、心の支えだったの。なのに早くいなくなるなんて。勘弁してよ。

ママの歳に近づくほど、悲しみが大きくなってる。お葬式、たくさんの人が参列してくれて泣いてたけど、私は泣かなかった。今は悲しいけど、その時は悲しさを通り越した何かだったのかもね。

ママは、私を心から愛してくれていたんだ、って実感してる。買っておいてくれたたくさんのおもちゃ、服。書いてくれていた育児記録、一生の宝物。貯めておいてくれた学費。でもそれパパが全部使ったらしい。だから高校は学費免除の私立、大学は自分でどうにかしようと思ったけど、無理で退学した。ママが貯めてくれたのに……ごめんね。

ママのことを「お母さん」と呼ぶ前にいなくなったから、何歳になっても「ママ」。お母さんかぁ。違和感あるね。

色んな人から「早くお母さん亡くして可哀想に」って言われたけど、なんでだろう。可哀想なのかなって考えたけど、そう思わない。目の前にいないけど、私の身体の半分はママでできてて、自分を抱きしめて大切にすることは、ママを大切にしているのと同じで、ずっと側にいると思ってるから。

ママがつけてくれた名前。好きだよ。人生で一番のプレゼントは、名前かもね。

ママへ

たくさん教わりたいことも、話したいこともあった。ママの記憶は病院の記憶ばかりで寂しいし、もっと一緒にいたかった。せめて成人まではいて欲しかった。

空の上での生活が楽しいからかな。全然夢に出てきてくれないね。たまには会いにきて欲しいなぁ。この手紙が届いたら、遊びに来てよ。

故郷を離れて今は違う場所にいて、みんな元気か側で見られないから、見守ってあげてね。

ママのこと、大好き。ママみたいに自分の子どもを愛して、大好きと言ってもらえるような母になります。だから私のことも見守っていてね。

じゃあ……またね

ばあちゃんがいない10年分

おさとう（新潟県）21歳

ばあちゃんへ

そちらでは元気に過ごしてますか。私は元気です。

あの時小学生だった私は、もう21になりました。就職活動もひと段落して、来年の春から社会人です。すっかり大人っぽくなったんじゃないかなとは思っていますが、身長はあまり伸びませんでした。25歳までは背が伸びるらしいので、まだ諦めてはいません。

さてばあちゃん、パーソナルカラーって知ってますか？　自分の肌の色に映える色を言うんですが、箪笥にしまってあったばあちゃんの浴衣やワンピースを見ると、どうやら私と同じブルベ冬なんじゃないかと思うんです。洋服の趣味だって私と同じみたいで、ばあちゃんの箪笥のワンピースはどれも素敵に見えます。たまに拝借して大学に行っているんですけど、何年も前のワンピースなんて全然バレなくて、友達からはどこで買ったのとよく羨ましがられます。どこで買ったワンピースなんでしょう？　じいちゃんに聞いても覚えてねぇそうです。

そうそう。じいちゃんは相変わらず元気です。毎日畑に行ってコーヒー飲んでソファで昼寝してます。もう随分歳なのに10時くらいまで寝こけてるのも相変わらずです。しかし、最近風邪をこじらせて肺炎になりました。2020年から流行り出したコロナに違いないと泣いて病院に行ったのですが、全然そんなことはなく、肺炎もすっかり治りました。むしろ血糖値が高い方が問題だと、甘い物を控えるようにお医者さんにキツく言いつけられたみたいです。ばあちゃんがいたらこっぴどく叱られて余計にしゅんとしていたかもしれません。

くだらないことばかりですが、話したいことが10年分もあるんです。

とてもこんなものじゃ書ききれない。

今でもばあちゃんが台所で歌っているのが目に浮かびます。私が泣くとママに内緒でくれるお砂糖の固まったやつが、結局どんなお菓子よりも美味しく感じたものです。

心配しないで

西宮ケイ（鳥取県）21歳

父さん、あなたは僕が18歳の時に亡くなったね。働きすぎた末に訪れた死だったね。僕は今21歳になって、最近、あなたのことが少しずつ、少しずつ、わかるようになってきました。社会に出てお金を稼ぐということの重圧、孤独に働き続ける辛さ、真面目であればあるほど人に頼られやすいということ。そんなことを最近よく考えます。僕もそうだから。

父さんは辛い思いをして働いて働いて、時にインフルエンザで39度の熱が出ながらも働いて働いて、そして僕らを養ってくれました。あまりしゃべらず寡黙で、悩みも言ってくれなかった。もちろん、僕が幼すぎた、というのもあるけれど。そして、僕の将来をいつも心配してくれていた。

僕は大人に近づき、あなたのことがわかるようになるにつれて、そしてそろそろ社会に出ないといけない年になって、自分のふがいなさを覚えます。あなたみたいにちゃんと働けるだろうか。僕はあなたより弱いのに。あなたが亡くなって2年もしないうちに、新型コロナウイルスが世界中で大流行して、人々の心が荒んだり、多くの人の人生は一気に大変になりました。僕もそうです。こんなこと、考えもしなかった。人生、生き残るのって大変です。時折、これからのことがすごく怖くなって不安になるし、考えすぎてしまう自分に疲れてしまいます。

あなたの声が思い出せるうちに、あなたが言っていた言葉を覚えているうちに、そしてあなたが働いていた姿を思い返して、勇気をもらおうと思います。どうか、次の一歩を踏み出せない僕に心の強さをください。

あなたは、苦悩してる姿が多かった。僕も今苦悩している。どこまでいってもあなたの子なんだな、と感じます。

でも、伝えたいことは一つ。僕は強く生きるよ、ということ。成長するよ、ということ。だから、心配しないでいてください。天国なんてものがあるかどうかはわからないけれど、もしそこにいるなら、温かく見守っていてください。成長を楽しみにしていてください。そして、いつの日か、僕が一生懸命生きた末にそちらに行くことがあったら、一緒にお酒でも飲みましょう。僕ももう、大人になりました。あなたの息子として、人生楽しみながら、一生懸命生きようかと思います。だから、心配しないで。あなたが誇れる息子になります。それがあなたに伝えたいことです。

春のデート

小樋井 七帆（福岡県）21歳

お父さん。突然ですが、私が今までで一番思い出に残っているデートの話を聞いてください。天国で「娘のそんな話聞きたくない！」って喚いているかもしれないけど、どうしてもお父さんに聞いてほしいのです。

あれは春でした。お気に入りのワンピースに袖を通し、ぴかぴかなおニューの鞄を背負って、私は家を出ました。逸る気持ちで待ち合わせのバス停に迎えば、すでに到着していたその人が、やさしい笑顔で迎えてくれました。ぽかぽかとした日差しの中、春の香りに包まれながら、その人の大きな手に引かれて歩いた桜道。田んぼに向かってふたりで歌ったデタラメな歌。指でなぞった飛行機雲。眼に映る全てが輝いて見え、楽しくてたまりませんでした。

喫茶店にも初めて入りました。その人は自分のぶんのコーヒーと、当時コーヒーが飲めなかった私のためにマシュマロがたくさん乗ったココアを注文してくれました。甘くて、とっても美味しかった。

もうあれから十五年も経ちますが、そのときにその人がかけてくれた言葉を今でもよく覚えています。

「小学校で嫌なことがあったら、お父さんにすぐ言うんだぞ。守ってやるから」

そうです。相手はあなたです、お父さん。

私が幼稚園を卒園し、小学校に入学する直前の春でした。毎日仕事が忙しく、なかなか一緒に出かけられなかったお父さん。そんなお父さんが久々の休日に「入学前に通学路をふたりで歩いてみようか」と誘ってくれたことが、どれだけ嬉しかったか。ませた私が「お父さんとデートだ！」とはしゃいだからか、わざわざ先に家を出て待ち合わせまでしてくれたこと。まだ入学もしていないのにぴかぴかのランドセルを背負って現れた私を見て、「世界で一番似合う」と笑ってくれたこと。マシュマロの乗ったココアのあたたかさ。どれもとびきりの思い出です。お父さん、あのときデートしてくれて本当にありがとう。

あれから十六年、お父さんが癌で亡くなってからは十二年が経つ来春、私は社会人になります。なんの因果か、小学校の近くにある会社に採用が決まったため、かつての通学路を歩いて通勤することになりました。もうあのときの田んぼも喫茶店もありませんが、胸にある思い出を毎朝なぞることができるのだと思うと、とても楽しみです。

ちなみに、あの春のデートを超える相手とはまだ出会っていないことを、心配性のお父さんに一応報告しておきます。

わたしの味方

なつめ（島根県）21歳

お父さんへ

お父さんがいなくなって、もうすぐ二か月が経ちます。そっちでは苦しくないですか？　得意なサッカーを思い切り楽しめていますか？　今、幸せですか？

正直治る見込みなんてなかったのに、お父さんがいつもあんなに前向きでいてくれたから、良くも悪くも私は呑気に過ごせていました。私が知る限り一番強くて、一番幸運の持ち主だったお父さん。そんなお父さんが死ぬわけないって、またすぐに普通の生活が送れるようになるって、そう信じて疑いませんでした。

生きていた時はあまりも自分勝手なお父さんで正直一緒に出掛けるのも嫌だったのに、今となっては本当に愛された記憶しかないのがむしろ辛いです。不器用な人だったけど、心から愛されていたことを今になって実感しています。まだ何一つ恩返しできていないし感謝も伝えられていないのに、あまりにも急で、早すぎます。

ひとつだけ、どうしてもどうしてもお父さんに伝えたかったことがあります。私が高校一年生のとき、勉強に専念するために、大好きだったピアノとテニスをやめたよね。そのときの私はあまりにも大きな周りの期待に押し潰されそうでした。16歳にして、好きなことをすべて手放す辛さと、それを当たり前だと言わんばかりの大人の冷たさに心が壊れそうでした。そんなとき、お父さんが私の部屋に来て言いました。「みんながみんな、昔からなりたい職業に就くわけじゃない。夢や目標は変わってもいいし、もう少し、高校生活楽しんでも罰は当たらんよ」と。これを聞いて、「ああ、世間体とかじゃなくちゃんと私のことを想ってくれている人がいるんだな」って気づいて、この言葉だけで今まで頑張ってこれました。きっとこれを言ったお父さんは忘れてるし、改めてこんな話をするのもなんか恥ずかしくて、結局この感謝は伝えられていなかったよね。遅くなったけど、いつも味方でいてくれて本当にありがとう。

お父さんが言っていました。人は死んだときにその人の価値がわかるって。死んだときにどれほどの人が別れを告げに集まってくれるか、これでその人の価値がわかるんだって。こんなご時世だから、告別式もお父さんの親友だった3人にしか声をかけなかったのに、なんとね、200人以上会いに来てくれたんだよ。お父さんはわがままだし自分勝手だし、本当に破天荒で手に負えない人だったから周りの人に迷惑かけてないか心配だったけど、みんな「ほんとにヤンチャなやつだけど、なんか憎めないんだよ。人を惹きつけるやつなんだよ。」って言ってくれていました。私もお父さんみたいに強く、真っすぐ、馬鹿正直な大人になりたいな。

まだまだ苦しい道は続くし、投げ出したくなることなんてしょっちゅうだけど、できるだけ笑顔で明るく過ごせるように頑張るよ。だからお父さんは私たちのことは心配せずに、そっちで幸せに過ごしてね。私たちのことなんて忘れちゃうくらい楽しく過ごしてね。

最後に、お父さん、恩知らずのバカ娘を不器用なりに愛してくれて本当にありがとう。

また生まれ変わっても、お父さんの娘になれますように。

名前のない「君」へ

赤霧あむ（京都府）21歳

こんにちは。初めまして、何から話そうか。だけど、その前に、「君」と呼ぶことをどうか許してほしい。「君」の呼び方を、私は知らない。「貴方」と呼ぶのは少し他人行儀の色が強いから、避けさせてもらった。だって「君」は、私の家族だから。

「君」の存在を知ったのは、偶然だった。

ワクチンがきっかけだったかな。今まで何のワクチンを打ったのか気になって、お母さんに母子手帳を見せてもらっていた。ふと、ページの隅に見つけた「流産」の二文字。しばらく目が離せなかったよ。一人っ子の私に、弟か妹がいるはずだったなんて、露程にも思わなかった。

滲んだボールペンの文字が何を表しているか分かったから、お母さんには何も聞いてない。でも、君がいた事実がただ紙の上にあるだけで、まるで無かったかのように扱われていて、どうにか消されてしまった空白を埋めたいと思った。

名前のない「君」へ。

生まれていたら、どんな人に育っていたの。

どんな声で、どんな表情で生活していたの。

私よりも、背が高かったり、低かったり。同じくらいなら、きっと張り合っていたと思う。

生意気なケンカができたかもしれないし、ケンカなんてしないほど、仲がいいかもしれない。

もちろん私は「君」が弟か妹のどちらかでも、仲良くできると思うよ。

テストで分からないところがあったら……参考書と教科書を片手に頑張ってほしい。姉を頼るよりも友達と勉強して、遅くに帰ってきそう。部活はどうしようか。

短い髪が似合うのか、長い髪も似合うのか。

好きになる人はどんな人？　異性でも同性でも、「君」が心から大切にしたい人なら、私は賛成。もちろん、人柄と借金がないかは大事だけどね。

私よりも、二歳年下になるはずだった「君」。

どんな花が好きなの。

何を見て感動するの。

どんな言葉を紡ぐの。

どんな世界を作るの。

たくさん想像した。

一点の過去から、別の未来の線を引いても、「君」はここにいない。

「もしも」の過去にいつまでも囚われていたら前は向けない。だから、この手紙で「君」への想いを全て書き出そう。

名前のない「君」へ。

「君」の存在を知って、やっと「君」を見つけられた。それだけは、とても嬉しく思う。

「君」の分まで生きようとか、そんな感情的で責任のあることは言えない。私たちは何もお互いを知らないから。

だからこそ私は、私の人生を、責任をもって歩こう。

ここに、「君」への追憶の意を込めて。

「君」の姉より。

最後の反抗期

音羽（兵庫県）22歳

お父さんへ

こんな機会なので、文句を言いたいと思います。万年反抗期と言われていましたが、これが最後の反抗期です。

お父さんが亡くなって昨日で11年が経ちましたね。お父さん、なぜ急に亡くなってしまったんですか。私の誕生日ももうすぐで、夏休みには旅行に行くはずだったのに。散々泣いて落ち込んで思いつく限りの地獄のような日々を経験しました。

どんなに母が苦労したかご存知でしょうか。憔悴しきった母を見て、私は「自分が1番父と関わった年数が少ないから泣く資格はない」と思って沢山我慢してきました。小6の自分には抱えきれず、記憶に蓋をして、父親の話が出る度に気まずい思いをし、話せば哀れみの目を向けられました。

お父さんは本当に酷い人でしたね。単身赴任もあり一緒に遊んだ記憶自体少なく、その少ない記憶の中でもゲームで毎回容赦なくボコボコにしてきましたね。お父さんはよく「やられたらやり返せ」と言っていました。やり返せず終いです。

お父さんはあまり褒める人ではありませんでしたね。そんなお父さんに褒められたのはチョコレートタルトでした。チョコが好きなお父さんに、甘ったるいチョコレートタルトを作ってすごく喜ばれて褒められたのをよく覚えています。凄く嬉しかったなあ。今年は亡くなってから初めてお父さんの誕生日を祝うためにケーキを作りました。食べれなくて悔しがってくれたでしょうか。

故人を悪く言ってはいけないような風潮もありますが、娘がこんなにも辛い思いをして今だって書きながら泣いてるんだから文句くらいは言わせて欲しいです。

それでも母はどんなに辛くてもいつも「お父さんに感謝せんとなぁ」と言っていました。本当にありがたいことに大きな苦労をすることも無く、進学もさせてもらって好きな服を着て美味しいご飯を食べる生活を送らせてもらいました。反抗したい気持ちより、やっぱり感謝の気持ちでいっぱいです。

そして私は高校で先生をしています。毎日忙しくもやりがいがあって楽しいです。自慢の娘になれているでしょうか。

父へ

私はお父さんに似ているようです。麻雀、頭文字D、星座、好きになったものをお母さんに話す度、「お父さんも好きやったわ」と教えてもらいました。いつかこの話をしましょう。麻雀もしたいので、あと2人集めておいてください。きっとすごく先になるので気長に待っていてください。今度こそボコボコにします。

自分の名前が宝物な 音羽より

パパを失って手にいれたもの

カナコ（東京都）23歳

パパがこの世を去って20年近く経ちます。

あなたが自ら命を絶ったと聞かされたのは、私が中学1年生の時でした。それから何度も何度も、あなたのことを考える日があります。

あなたは、すごく弱い人。すごくわがままで頑固なくせに、寂しがりやで、誰が見てもわかる弱さを抱えながらも、見栄っ張りな性格だから誰にも甘えることができなかったんじゃないでしょうか？

娘の私から見ても愚かな人だと思ってしまうけれど、でもね、あなたを救えなかったことは本当に後悔しています。

当時4歳の私にはもちろん何もできなくて当たり前なのは分かっていても、私はパパがどうしようもなく好きだった。大好きだった。

今でも会いたいと思う。パパが生きていたら今の私になんて声をかけてくれるんだろうって。

こんなに自分を想ってくれている娘をおいて行ってしまったこと、パパも後悔してるかしら？

自分の命を惜しまなかったパパの気持ちを誰も分からないままずいぶんと時が経ち、私自身もあなたと過ごした時間をほとんど思い出せないのだけれど、一つだけ覚えていることがあります。

夕食をみんなで食べるときに、毎回ビールを注がせてくれていたよね。あれ、ちょっとお姉さんになったみたいで楽しかったな。

今、私にはお父さんがいます。
母と、姉と、私をしっかりと支えてくれたお父さんです。
たぶんだけど、パパとは正反対の人だと思います。
あなたが自ら命を絶ったのだと教えてくれた、私の大切な人です。
お父さんは、私にこの世界を見せてくれた人です。
そしてパパ、あなたは私をこの世界に誕生させてくれた人。
2人の父親に感謝しています。

パパを失って、私はひとつだけ、どうしても伝えたいことがあります。

パパ、あなたが手放したこの世界はどうしようもなく理不尽だけど、どうしようもなく美しいです。

私はあなたに似てすごく弱い人間だけど、自分次第でいかようにでもなる強さを手に入れることができました。

だからどんなにつらくても、楽しいと思える結果になるのです。

あなたが見ることのできなかった景色を私は見ることができたから、だからどうか、悔やんでいてほしい。

もう、目を背けないでね。私のこと、ちゃんと見ていてね。

愛しています

君がいない世界を精一杯生きる

水野怜奈（神奈川県）23歳

だいすきな君へ

君がおじいちゃんになってから、私は「お願いだから私よりも先に逝かないで。私も一緒に連れて行って。」ってずっとお願いしてたよね。だからきっと君は、私が君がいない世界を生きていけないんじゃないかと心配してると思うんだ。君と会えなくなってから1年と半年が経ったね。私は今、君がいない世界を精一杯生きているよ。君がいなくても生きていける現実が、すごくすごく辛い。今でも毎日泣いてるし、ずっと苦しいし、いつも会いたいと願ってる。君のいない毎日がすごく辛い。でも、こんなに辛くても、君と出会ったことを後悔したことは1度もないよ。一緒に過ごした12年間、私は本当に幸せだった。そしてこれからも、君とすごした日々を思い出すだけで幸せになれる。

元々野良犬だった君。一目惚れだった。家に来た君は最初エサを食べてくれなかったね。私がエサを手のひらに乗せて君に近づけたら、初めて食べてくれた。すごく嬉しかった。小学生だった私、本を一生懸命読んで、しつけをした。おすわりとおてを覚えてくれた。おてをする仕草が可愛くて、買ってもらったばかりのデジカメは君の写真で一杯になった。色々な場所を散歩した。君がいなかったら、朝の河川敷の澄んだ空気を私は知ることがなかっただろうな。

私の部屋の扉を押し開ける君。帰ってきたらしっぽを振って走ってくる君。ご飯が待てなくてヨダレを垂らす君。全部が愛おしくて、全部がかけがえのない、大切で素晴らしい時間だった。

そして、君がおじいちゃんになった。歳下だった君は、いつの間にか私の歳を超えてしまった。ある年の9月に、年越しするのは無理かもしれないと獣医さんに言われた。10年振りに、家族の前で泣いた。でも、不安とは裏腹に、一緒に年を越せた。その後君は寝たきりになった。

ある日、朝気づくと君は冷たくなっていた。ごめんね。ごめん。本当にごめんなさい。看取れなかった。ずっとずっと後悔してる。1人で逝かせてしまった。本当にごめんなさい。きっと君は許してくれていると分かってる。優しいから。自分を責めないでって言ってくれる。ただ、私は自分を許せないんだ。看取れなかった後悔で何度も潰れそうになった。

でもね、今でも精一杯毎日を生きているよ。君がいない世界でも、綺麗な朝がきたし、綺麗な夕焼けがあった。最初はそんな綺麗な世界が許せなかったけど、君と見た世界も同じように綺麗だったのを知ってるから、今は綺麗な世界を見ると、君を思い出して笑顔になれるよ。だから、私は大丈夫。心配しないで、ゆっくり休んでいいんだよ。

離れていても、会えなくても、心から君を愛しているよ。

お母さん、私を見守らないで

かまぼこ花子（茨城県）24歳

お母さんへ

あなたが突然いなくなり、9年が経ちました。

どうか私を見守らないで下さい。


あなたは私を、厳しく育ててくれましたね。

よく言われた、二言。

「愛想をよくしろ」「普通にしろ」。

これ、実は傷ついていました。

お母さん、なんで私を認めてくれないの？


現在私は社会人。この傷つく言葉の意味が、よくわかりました。

大人の世界は空気と会話をする。

個性が強い私にとって、とても居辛い場所です。

それを心配して、お母さんは言ってくれたんだね。

ありがとう。


でも、もしお母さんが生きていて、今の私をみたら……さらに口うるさくなるかもしれない。

私は、あなたの望んだような他人との関わり方が、できていません。

上司の言葉をうまくかわせず、自分が思ってもいないことを発言する器用さは備わっていませんし、用意しようとも思いません。


でも私は、幸せです。


お母さんが亡くなってから、なぜか多くの大人と関わってきました。

その中に、私が気を遣っていること、無理をしていることを心配し、あなたはそのままでいいと、受け止めてくれる人と出会いました。


お母さん。

お母さんにはお母さんの幸せの形があり、私には私の幸せの形があるよ。

欲を言えば、私にとっての良い形を、一緒に考えて欲しかった。そして私も、お母さんが自分を大切にできるよう、振る舞いたかった。

お母さんはきっと、私の強い性格に悩んでいたと思います。私がしっかり育てなくちゃ、と。

でも、もういいんだよ。
私は自分で考えて進んでいける。
だからお母さんももう、私を心配しないでください。
自由の身になった今、自分のために時を過ごしてください。
私もいつか、あなたと同じ場所に必ず行く。
その時に親子として、一人の人としてあなたと会話がしたいです。
だからもう、自由になってね。
私は自分の力で、歩いていくから。

無償の愛を与える人

cocoro（大阪府）25歳

その日は突然でなにがなんだかわからんかった。


私は一人暮らしやから、ばーちゃんが倒れて病院に運ばれたからこっちへ帰ってきなさいと連絡があった時はとても驚いた。

コロナで全然会いに行けんまま、お別れの時が来てしまうなんて……。


ばーちゃんはほんまに忍耐の人やと思う。

5人兄弟の長女として育った広島から若い時に大阪出てきて、破天荒なじーちゃんを支えて、子供6人も産んで、商売も手伝って。

せやのに一言も文句言わずに黙々と働き続けて、誰にでも優しく公平に振舞ってた。

私はばーちゃんにとって初孫やったから、めっちゃ可愛がってくれた記憶しかない。

ほんま尊敬しかない。

うちの実家の真向かいは葬儀屋さんやから、見慣れてるはずの風景やのに、そこにばーちゃんがおると思ったらなんかめちゃくちゃ変な感覚やった。

眠ってるばーちゃんはほんま穏やかな顔やったで。そうそう。私はまぁまぁ背が高い方なんやけど、ママとパパは小柄やん。これは確実にばーちゃんの遺伝のおかげやと思ってんねん。骨格がめっちゃしっかりしてるとことか。私も見習って毎日散歩して足腰鍛えとかなあかんなぁ。


お通夜の日、6人兄弟が久しぶりに揃ったやん。

こんなご時世やから、ほんまの身内家族のみやったけど、じーちゃんも含めたら7人が棺桶の周り囲んでで、ずっとありがとうありがとうって泣いてたのがほんま脳裏に焼きついてて。

私は今年25歳やねんけど、正直今まで結婚願望とか全くなくて、一人暮らし最高やと思ってた。ましてや子供産むなんて人間独特の生殖システムに嫌悪感があったし、地球のルールを理解するのに難航してた。なんのために今世地球というステージを選んで、なにを経験したくて生まれてきたんやろうかと子供の頃からずっと考えてた。

でも、あの日ばーちゃんが夫や子供たちに囲まれてありがとうありがとうって言われてる姿見て、これが地球で学べる最大の経験なんかなって思ったりした。無償の愛を与え続けた先にしかない光景やったと思うし、どんな金持ちより、スーパースターより、カッコよくて渋い死に顔で、わたしもあんな風に死ねたら最高やなって思ってん。

ばーちゃんが突然死んで、私ももちろんほんま悲しくて、辛かったよ。でも、あの姿を見て、改めて人間が「家族」を形成してきた意味の真髄を見た気がした。私も人と交わることを避けるのではなく、歩み寄って自分にできることを与えるっていうのが、今世の課題であり、地球の醍醐味なんかなと解釈して生きてみることにしてん。

傍から見たらなんも変わりない日常が続いてるけど、あのお通夜の日は、私の中では確実に大きな変化があったターニングポイントになると思う。

そんな私の姿、気が向いたら空の上から見守っててくれると嬉しいな。

父へ

100万回のありがとう

宮下 木花（群馬県）26歳

わたしは、お父さんに何回「ありがとう」と伝えられたのだろう。

まわりの友達のお父さんよりも、ひと回り以上も年齢が上のわたしのお父さんは、とても厳しい人でした。

友達と遊んで夜遅くに家に帰ったり、ごはんを残そうとしたりして、すごく怒られたのを覚えています。些細なことで叱られてばかりいたわたしは、お父さんに対して素直になれず、いつも反抗的な態度をとってしまっていました。

そんなお父さんが病気を患ったのは、わたしが20歳を迎えるころでした。病名は、膵臓がん。複雑な部位にがんができていたらしく、手術は難しいとお医者さんに言われ、抗がん剤など、できる限りの様々な治療を試しましたが、回復することはありませんでした。

そして、治すことを目的とした治療をすべてやめ、病気の痛みや心の苦しみを和らげるための緩和ケアを自宅で受けることになったのです。

わたしは、お父さんの先が長くないことへの絶望感と、今まで反抗的な態度をとっていたことへの後悔の気持ちから、毎日暗い顔をして、泣いてばかりいました。

そんなとき、緩和ケアの先生が言ってくださった言葉が、今も心に残っています。

「緩和ケアは、死ぬためではなく、最後まで生き抜くための医療です。『ごめんね』と泣くのではなくて、笑顔で『ありがとう』とたくさん伝えてあげてください。」

わたしは、反抗的な態度をとってきたことに対する罪滅ぼしの気持ちで「あのときはごめんね」とお父さんに伝えたかったのですが、先生に言われた言葉で考え方が変わり、すべて「ありがとう」に置き換えてみよう、と心に決めました。

「帰りが遅くなったときに心配してくれてありがとう」

「ごはんを残さず食べることの大事さを教えてくれてありがとう」

「ありがとう」というポジティブな言葉で会話をしていくと、お父さんの厳しさの根っこには、わたしのことを想う優しさがあったのだと気づかされました。

「お父さん、わたしを育ててくれてありがとう」

叱られるたびに言っていた「ごめんなさい」の数よりも「ありがとう」と伝えることができたので後悔はありません。

お父さんが亡くなって6年経つ今、幼いころの自分にはわからなかったお父さんの優しさに、ふと気づく瞬間があります。そのたびに感謝の気持ちが溢れ、これから先も１００万回でも「ありがとう」と言いたいです。

ふたりが生きた証

石川 樹梨（神奈川県）26歳

私が3歳の頃、両親が離婚してお姉ちゃんと私はパパと一緒にじいちゃんばあちゃんの家に住むことになったね。パパは仕事が忙しくてほとんど家にいなかったし私はママが恋しくて毎日泣いてた。お姉ちゃんは離婚前からばあちゃんに懐いてたから自然とばあちゃん派じいちゃん派に分かれて、私は夜中に寂しくなるとじいちゃんの布団に潜り込んでたね。

じいちゃんは朝まで寝返りも打たず腕枕をしてくれて次の日、私が風邪ひかないか気になって寝れんかった〜ってよく言ってたよね。

我が家は圧倒的にばあちゃんが強かったからばあちゃん派のお姉ちゃんは欲しい物は上手く手に入れていて、ばあちゃんは『姉妹平等に。あんたにも買ってあげるよ』って言うけどそれでもやっぱりお姉ちゃんが少し得をしてたと思う。笑

中学生の頃、ばあちゃんと私はすごく仲が悪かったよね。思春期だったし片親コンプレックスが強くて、育った時代が違うばあちゃんの説教がとにかく鬱陶しく感じてたのね。だって平成の時代に戦後の生活を求められてもピンとこないもん。周りのママは若くてきれいで娘と仲も良くてなんでも相談できて、それが羨ましくて自分が恥ずかしくて。

喧嘩してると、ばあちゃんの湯呑みが私のおでこをかすめて飛んで行ったこともあったな。笑　今となれば笑えるけど祖母と孫の関係は最悪。っていう頃、私が夏休みに書いた作文が優秀賞を取ったことがあって次の学期末に各家庭に配布される冊子にも名前を載せてもらえたんだけど、優秀賞を取ったはずがなぜか、『佳作』と間違えて書かれていて。当時の私はそんなことあんまり気にもしてなかったのに後日、担任の先生が慌てた様子で私を呼んだと思えばいきなり『おばあさま、すごくすごくお怒りで。ごめんなさい。訂正プリントをすぐ配ります』って。ばあちゃんが学校にクレームを入れたって先生から聞いた時は、ばあちゃんやりすぎ…恥ずかしい、と思ったけど、じわじわ嬉しさが込み上げてきた。私にもそういう存在がいるって思えたことが今も私の生きる糧になっているよ。

ばあちゃんはいつも口うるさかったけど、今になって分かったこと本当に〝山ほど〟あるよ。あの時は理解できず、反抗ばかりしてごめんね。

私の結婚出産を待たずに2人とも亡くなってしまったけど、私の旦那はじいちゃんみたいに真面目で優しい人だよ。そして私はばあちゃんのように気の強い嫁になったよ！笑

妊娠中にはコロナウイルスが流行って不安なことが沢山あったし、相談したいな、会いたいなってことが何度もあって2人がこの世に居なくなったこと時間が経てば経つほど受け入れら

れなかった。でもね息子が産まれて、初めてお墓参りに行った時ご住職さんが息子を見て『去る命もあればまた、産まれてくる命もあります。そうやって私たちは命をバトンしているんですね』って仰ったんだよ。お墓で聞いたのも相まって、私その言葉がすごく腑に落ちてさ。

この世に2人は居なくなってしまったけど大事に育ててくれた命がまた命を産んで2人の生きた証はずっとずっと繋がっていくんだって思ったよ。じいちゃん、ばあちゃんありがとう。

またね。

とりあえず10年が経つ

簗瀬 力也（京都府）28歳

おじいが逝ってこの12月で10年になる。あの時高校生だった僕は大学も卒業し、障がい者のヘルパーを始めて今に至る。そのなかで3人の女性と恋をしたり、読書に夢中になったり、一度うつ病になったりして、ぼちぼちと生きてきた。

人生というのは、あまりつまらないものだと思う。それは僕に限ったことなのかな。はたまた今の時代に限ったことなのかな。おじいの人生はどうだっただろうか。例えば戦争があって、戦後には高度経済成長があって、企業戦士で外国を飛び回っていたおじいの人生はどうだっただろうか。

だけど、僕はそういうおじいの人生を羨ましいとは思わない。妬んだりしない。そういう僕に対して決して怒ったりしてはいけない。

ただ生きていて欲しかった。「おじいがいればな。」そういう気持ちが本を読むたびに、あるいは小津安二郎とか山田洋次を見るたびに強くなる。いろんなことを聞きたかった。そして一緒に考えたかった。原発のこととか、労働問題とか、いろんな社会のことを共に考察したかった。

おじいが死ぬ少し前、僕は高校生になりたてで自分のことに夢中だった。当然老人と話すことなんて何もなかった。これっぽっちも興味を持たなかった。死んだときでさえも、なぜか客観的な自分がいた。そういうものだと、納得していた。

あのころに戻りたいとは思わない。今おじいと酒を呑みたいんだ。深い話をしたい。一端のヘルパーだけど、介護は任せてほしい。

そういえばもうひとりのおじいは、僕の生まれる前に死んだみたいだ。若くして死んでしまった。僕は高校生にして祖父を持たない人間になった。周りを見渡せば確かに複雑な家庭環境で育った人がたくさんいる。社会は核家族が支配的だ。祖父がいないことを嘆くのは傲慢だと言う人もいて当然だ。

ただこのつまらない人生に、僕はおじいがいてくれたら、そこに救いを見出しただろう。あの無知で盲目だった高校生の僕に、おばあから持たされたばかりの万札を腹巻きから出して渡すおじいの姿に、今となっては羨望の心でいっぱいだ。とりあえず僕は長生きしようと思う。

父さんへ

矢口いづみ（栃木県）28歳

父さん、わたし北海道に転勤になりました。

ある日突然所長から呼び出されて、「岩見沢な」と言われました。まさに青天の霹靂。そして、ぽかんと口を開けているわたしに所長は、大学時代北海道だった矢口さんなら土地勘あると思ってさーと続けました。

確かにわたしは北海道の大学でしたが、場所は道東の網走です。岩見沢とは約300㎞ぐらい離れています。本州で例えるなら東京から岐阜ぐらいまでは行けるんじゃないでしょうか。土地勘とは？　と思いながら、まさかそれを所長に言い出すわけにもいかず。わたしは父さんに相談したらなんて言うのかなとずっと考えていました。

社長だった父さん。そんな会社辞めろなんて言うのかな。いや多分、言わないね。そんな断定的な言い方をする人じゃなかったね。いつだって優しい父さん。いづみの好きにしなさい。でもいやあ、勤め人は大変だなあって暢気に笑いながらワインを飲んだりするんじゃないのかな。どうかな父さん。

私は所長からの内辞を受けた後､同じ会社でお付き合いをしている和樹さんに連絡しました。電話が繋がらず、取り急ぎＬｉｎｅで北海道だってと短く送ると、既読もつかなかったのでハラハラしていました。わたしは焦れて泣きたいような怒りたいような気持ちで和樹さんを待ちました。そして待ちくたびれた頃、和樹さんは帰ってきました。その手にはなんと指輪がありました。籍を入れようと言ってくれました。こんなプロポーズの予定じゃなかったんだけどどって苦笑交じりに指輪をはめてくれました。そのことが、わたしはとても嬉しかったのです。

ねえ父さん、わたし結婚するよ。和樹さんはなんとなく父さんに似ているよ。優しい人だよ。転勤もね、二人で散々考えたんだけど受けることにしたよ。父さんは知らないかもだけど、世界は今コロナって病気が蔓延していて大変なんだよ。和樹さんは専業主婦になってよって言っていたけど、先の見えずらい未来だから少しでもお金を稼いだ方がいいと思ったんだ。なんというか、北海道で出稼ぎという感じかな。たぶん2～3年で戻ってくるよ。

ねえ父さん、いろいろ儘ならないね。生きていくって難しいね。今回の選択だって正しいのかどうか全く自信がないんだよ。でも、和樹さんと二人で頑張るからね。きっと幸せになるよ。見ていてね。

ねえ父さん、父さんに話したいことが山ほどあるんだ。どこかでまた会えた時、辟易するほど今までのことを話すから、今から覚悟していてね父さん。

父さんへ

友だちになってくれませんか？

にお（岡山県）28歳

香典返しは優しい色のハンカチでした。

パワフルなあなたには、なんだか似合わないなと思ってしまいましたが、きっとこのハンカチみたいに繊細だったんですよね。勝手に決めないでって思います？　残念、死人に口なしです。

私から見たあなたは、人との距離感が物理的に近い人で、いつもパーソナルスペースをぶち抜いてやってきました。私は毎回驚いていたけど、それもちょっと楽しくて、明るいあなたと仲良くなりたくて、飲み会で声をかけてくれた時は嬉しかった。

あなたに厳しく叱られたこともありましたね。未熟な私はすっかり萎縮して、あなたを避けてしまいました。だけどまた仲良く話ができたらって思ってたんですよ。

でもあんなに怒らなくても良いじゃないなんて思っていたから、あなたが亡くなる少し前、あなたが仕事で悩んでいるとの噂を耳にして、ほんの少しだけざまあみろと思ってしまったんです。あなたに謝りたい。本当にごめんなさい。

それに私があの時、何かしていたら……。

知っていますか？　あなたの名前が入った白衣が、まだ倉庫にかかっているんですよ。もしかしたら嫌かもしれないけど、あなたは今も私たちの仲間です。嫌かも、しれないけど。

この手紙が届くと良いなと思います。あなたが亡くなって、小さなハンカチになって戻ってきて、みんな悲しんだことが伝わっていると良いな。

そして私のことを許してくれるなら、今度こそ私の友だちになってくれませんか？

陽だまり

NARU（鹿児島県）29歳

白髪で、年配の女性がお客様で来ると思い出す。「あら、ちゃんと食べてるの。折れそうだがね。これ食べなさいね！」大体、言われることも、する事も同じ。

祖母は、曾孫を見ることなく私の妊娠中に天国へと旅立っていった。南国宮崎県に、何年かぶりの雪が降った日のことだった。

女手一つで男の子の暴れん坊二人を育てて来た。そんな話をする祖母に、苦笑いの父。それを横目に庭でカットをした日々を思い出す。

私が実家に帰省すれば、必ずと言っていいほど「都会から美容師さんが帰ってきた！」と、満面の笑みで言いながら、大量の食べ物を出してくる。

私が住んでいるのは鹿児島県。隣県で、大差はない。しかし、祖母の住んでいる宮崎県以外は全て都会になるようだ。

いざ、カットが始まると嬉しそうにマシンガントークを繰り広げてくれる。そしてカットが終われば、普段のんびりしているのが嘘かのように素早い動きを見せるのだ。カット代を払うと、やたらと動きが早くなる。別に、身内からは要らないよと何度断っても、その押し問答は続く。しかも、私は毎回その戦いに負けるのだ。

次の日、祖母をドライブに連れて行き、カット代だと戴いたお金で、好きな果物やお菓子を買ってあげ、「これじゃ、意味が無いがね」と言うまでが恒例の流れ。そして、私が鹿児島に帰る時は、見えなくなるまで玄関先から見ていて、逆にこっちが心配になるのだ。

そんな当たり前だった、陽だまりの中に居たような日々はもう戻らない。「ばあちゃん、赤ちゃん男の子だったよ。」そう言った時、男の子は大変よ！　走り回さんといかんよ！　電話越しに「そんな細い身体で大丈夫かね。」と心配していた。それが最後の電話だった。その赤ちゃんを抱っこ出来ずに、居なくなったけれど。

ばあちゃん、今天国から見えていますか。ばあちゃんが言った通り、暴れん坊でお風呂上がりは走り回るから、追いかけながら服を着せてるよ。「子供は腹いっぱい食べさせたら、悪さはしない」その言葉を信じて、毎日しっかり食べさせてるよ。おままごとと、ぬいぐるみが好きな優しい子で、3歳になりました。

そして今、お腹にいる子も男の子だよ。私が男の子二人の母親になるなんて聞いたら、ばあちゃんは天国で頭を抱えるかもしれない。ばあちゃんが、折れそうだと心配していた私の腕も、息子と共にすっかりたくましくなっているよ。

もし、ばあちゃんが天国から見ているなら伝えたい。暴れん坊達を、しっかり育て上げるから見ていてよね！

三十代からの手紙

祖母へ

忘れ語り

ヨシ（愛知県）30歳

おばあちゃんが居なくなって3ヶ月。ようやく落ち着いたよ。大変だったんだから！　コロナの影響で家族葬になったよね。でもね、大変だったのはその後だよ！

ばあちゃんの飼い犬マロの散歩を仕事終わりにしていたら、会った記憶もないご老人たちが皆で話しかけてきて「ヨシさんとこの！　大きく美人になって」とか「ヨシさん譲りの別嬪だ」とか「ヨシさんが自慢してまわるのもわかるわ」とか頭や手を撫で回されて。皆少し無理矢理な笑顔だったから、きっとばあちゃんに似とる私の顔を見てはばあちゃんを思い出していることがすぐにわかったよ。

だから、毎日皆がいる公民館の前を散歩することにしたんだ。毎日毎日皆楽しそうにばあちゃんの武勇伝を教えてくれるの！　ほとんど、ばあちゃんの孫自慢で顔から火が出そうだったよ。

でも、そんなに大切にされていたことを実感して、会いたくなっちゃった。

もうばあちゃんとお話しすることはできなくなったし、いろいろ言いたいことや聞きたいことも沢山あるけれど、ばあちゃんの言い忘れたことや私の聞き忘れたことはばあちゃんのお友だちが忘れ形見ではなく忘れ語りで伝えてくれるし、きいてくれるから寂しくないよ！

だから、上でじいちゃんとのんびりしてて！
あ、上では孫自慢控えてね、流石に少し恥ずかしい……かも……笑

母さんのおかげで

多田 有希（岩手県）30歳

10年前、母さんの癌が見つかった時、私はもう自分も生きてゆけないと思いました。私には精神障害があり、ずーっと母さんにおんぶにだっこの生活をしていたからです。五年生存率0パーセント。絶望的な数字でした。でも奇跡的に、母さんに合う抗癌剤が見つかり、それから10年間も私に覚悟をする時間をくれました。10年前なら、きっと取り乱していたであろう母さんの死を、私は静かに受け入れることができました。10年間かけて母さんは「母さんが死んだら……」という話を私にたくさんしました。

「母さんは生まれ変わったら白鳥になりたいから、白鳥を見たら母さんが飛んでると思ってね。」

「おうちの近くだけど、おじさんちのお墓に分骨はしないでね。おじさんとおばさんに気を使わせてしまうから。」

「寂しくなったらこのぬいぐるみにぎゅーっとしてみてね。」

「たとえ死んだ後でも知っている人には裸を見られたくないから、着替えるときは気を使ってちょうだいね。湯棺もしないでね。」

私はたくさんのメッセージを受け取りました。それを母さんの納骨が終わるまで、責任をもって父に伝え続けました。

家族は私と父と兄だけになりました。でも母さん。母さんのいとこ、お姉さん、姪っ子、職場の同僚、幼馴染みの友達、ご近所さん、みんな「有希ちゃん、喪服の準備は大丈夫?」「困ったことがあったらいつでも連絡してね。」「寂しくなったらいつでも連絡してね。」と、たくさんの人が私を気にかけてくれました。そして今も、新聞の投書欄に私の名前が載ると、母さんの繋がりの人からたくさんの連絡が来ます。母さん、ありがとう。私はたくさんの人に支えられながら、これからも生きてゆけます。

心の貧乏になっていないよ

のり（滋賀県）31歳

親父へ

事業の失敗で大借金を抱えて親父が言った言葉。

中学生の頃に言われた俺には言葉の意味が理解できなかった。

借金が原因でボロボロのアパートに移り住み、電気や水道も支払いが滞り止められた時もあったのに「心は貧乏になるな」ふざけんなってずっと思ってた。

でも、親父のことを命の恩人って言う人が教えてくれたよ
親父が飲みに行ってくると俺に嘘をついてコンビニの夜勤をしていたことを。
事業の失敗も友人の会社を守る為にやった事だったたって事も。
俺が身も心も貧乏にならないように背中で教えてくれてたんだな。

ずるいぜ……
でも本当にありがとう。

生きている間に言っとけばよかった。
でももう遅いよな。
だから、手紙で伝えるわ

親父のかっこいい背中を見て育った俺の心は貧乏なんかじゃないよ

息子より

祖母へ

会いたいなぁ

所 美咲（大阪府）32歳

まさか、おばあが死ぬとは思ってなかったよ
私達、姉妹を育ててくれたおばあ
口うるさかったし、色々と詮索してくるとこもあの頃は凄くウザかった
遅くまで遊んで、学校にも行かんかって、家では笑いもせん
そんな私をおばあも鬱陶しがってたね
それでも、私の我儘なんか聞いてくれたり
クリームシチューが食べたいと言った私
おばあはそんなん作った事無いって、いつものキツい口調で言いながらも材料を買いに行ってくれたね
食卓に出てきたのは透明のクリームシチュー
塩っ辛いだけの透明のシチュー
思ってたクリームシチューとは違うかったし、正直めっちゃ不味かった
それでも、嬉しかったから全部食べてんで

今でも、友達に話すエピソード
みんな笑ってくれるよ
おばあが盲腸になった！　って大騒ぎしたんは私が高校3年生の時やったよな
急遽、入院してそのまんま死んでもた
まさか、死ぬなんか思わへんやん
ただの盲腸やん
おばあもそんなん思わんかったやろ？
そのくせ、葬式のお金、お世話になった人の連絡先、遺影になるような写真まで撮ってて
誰にも負担かけへんように死んでいったな
いつもしっかりして、パワフルに動き回るおばあらしいなってみんなで話したよ
お葬式にはびっくりするくらいの大勢の人
式場に入り切らんかってんで
嘘ちゃうで
どんな伝言ゲームやねんってくらい
人が人を呼んでくれた
さすがにみんなで笑ったよ
おばあの生き様を見たって感じ

会いたいなぁ

祖母へ

もっと素直におばあと過ごせたらよかったな
おばあに聞きたい事がまだまだあったのに
この間、おばあが作ったポーチが出てきたよ
ハマったらおんなじもんばっかり作ってたもんな
使おうと思ったけど、やっぱりやめた
綺麗なまんま残してる
このポーチの作り方教えてもらってないもん
おじいは元気してるよ
相変わらず、アグレッシブに我が道を生きていってるから安心してしてね
もう、91歳やねんで
１３０歳まで生きるらしいわ
今の私を見たら、おばあはどんな顔するんやろ、とか考える時もあるよ
まぁ、どんな私やったとしてもちょこっと憎たらしい事言ってくるやろ
また口喧嘩したいなぁ
おばあの事やから、そっちでもいっぱいの友達に囲まれて楽しくやってるんやろね
まだまだ私はやりたい事が山盛りやし
おばあに会いに行けるんは何十年も先になると思う

その頃には私もおばあちゃんなってるやろし、おばあ同士仲良くやろう
またね

会いたいなぁ

祖母へ

魂のエール

後藤 里奈（東京都）32歳

しばらくぶりにお便りします。夢の中では時々会うことがありますが、毎年帰省の時期がやって来ると、いつも盛岡駅まで迎えに来てくれたことや、「こっちにはいつ帰って来られるの?」と電話で何度も尋ねられたことなどを思い出し、もう「おばあちゃんの家」に帰ることはないのだと、少し寂しい気持ちになります。

私たちが文通をするようになったのは、私が大学生になり上京してからでしたね。慣れない東京での生活を心配し、「何か欲しいものはないか?」と言っては、お菓子や果物などを度々送ってくれました。時には「資料在中」と書いた封筒の中にお小遣いを入れてくれたこともありましたね。届いたダンボール箱を開ける度、言いようのない懐かしさと嬉しさに包まれ、「また頑張ろう」と思えました。

どんな時でも気にかけ、応援してくれたこと、過保護と言われるほどの無償の愛を注いでくれたことは、今でも私の中に大きな力となって在り続けています。

数限りなくある思い出のうち、今なお鮮明に思い出されるのは、もう二十年以上も前、小学校のマラソン大会でのことです。他のクラスメイトは家族からの声援を受け、意気揚揚と走っているなか、運動の苦手な私は劣等感と憂鬱な気分を抱えたまま、最下位でゴールを迎えようとしていました。その時、校庭のフェンス越しに「里奈ちゃん、ガンバレー」と叫ぶ声が聞こえてきたのです。それは、優しく温和な祖母からは想像もできない、まるで地の底から鳴り響くような声でした。瞬間、私は電撃に打たれたようになり、ゴール間近で数人を追い越して無事にゴールしたようです。

　平坦ではなかった今までの人生を振り返ってみた時、様々な局面で壁を乗り越えてこられたのは、あの時のエールが私を鼓舞してくれているからだと思うのです。窮地の時こそ自分自身を超えられると気づけたのは、あのエールのおかげだと思えてなりません。

　おばあちゃん、たくさんの愛とかけがえのない時間、そして魂のエールをありがとう。あまりにたくさんのものを私に与えてくれましたね。それを無駄にしないように、私はこれからも自分らしく生きていきます。

　この手紙をきっとどこかで読んでくれていますように。ではまたお便りします。

二人のお父さんへ

Ｍａｒｉ（東京都）32歳

二人のお父さん、といってもどちらのお父さんのこともそう呼んではいなかったね。

私と血の繋がりがあるパパが亡くなってしまったのは、まだ私が十五歳のときだったかな。

私は亡くなってからも、生きているころのパパの夢をたくさん見るぐらい、パパが死んだことが信じられなかったよ。

パパは、夢で「まだ自分が死んだってことが、よくわからないんだ」って言っていたぐらいだもんね。

最近、パパは夢にだいぶ出てこなくなったけれど、いいことだって信じています。

私の心の中にはパパがいるから、ママが再婚したときは本当にショックだったよ。

ママのことをとられたような気もして、理由もなく毛嫌いしたっけ。

だから、パパともお父さんとも呼ばずに、〝よしお〟だなんて、名前で呼んでいたね。

よしおは繊細なパパとは全然違う、豪快なタイプだったから、どう接していいかわからなくて。

正直、最後までぎこちないところはあったけれど、家族で食べるご飯は、笑顔で溢れていたよね。

「Ｍａｒｉちゃんは頼りないところがあるから」と、実の子どもと同じか、それ以上に私のことをよしおは心配していたけれど、今の私は、よしおから見たらどう見えるのかな。

私は二人のお父さんを失ったけれど、二人の愛情を受けることができて、本当に幸せものです。

二人ともママのことが大好きだったから、今頃天国で喧嘩になっていませんか。それだけが心配です。ありがとう、二人のお父さん。

優しい眼差しに思いを馳せて

赤坂 美里（埼玉県）33歳

お義父さん、そちらの世界の住み心地はいかがですか。こちらは家族3人、順風満帆ではないけれど、小さな幸せを大切に生活していますよ。お義父さんが、この世を去ってもうすぐ2年。あの頃赤ちゃんだった娘も、わんぱく盛りの元気な女の子に成長しています。

振り返ると、赤の他人だったお義父さんと義理の親子になって、早6年の歳月が流れました。昭和気質の無口なお義父さんがあまり得意でなかった私。きっと、2人息子を育てたお義父さんも、私とどう接したものかと持て余していたことでしょう。そんな微妙な距離感を保ったままの私たちに変化のきっかけを与えてくれたのは、娘の誕生だったと私は思っています。

娘が誕生した後、病室で初対面したお義父さんの嬉しそうな顔。まるでガラス細工を触るかのごとく、慎重に優しく触れる手。「うちは男の子しかいなかったけど、本当は女の子も欲しかったんだぁ」と、はにかんで話してくれた声。今でも心の中に刻み込まれています。

それからのお義父さんは、無口な印象からは一転、孫大好きなおじいちゃんに大変身しましたね。それまでは遊びに行っても、お出迎えもお見送りもなかったお義父さんが、私たちの姿を確認するや否や、外まで迎えに来てくれるように。帰りも私たちの姿が見えなくなるまで、手を振ってお見送りしてくれるように。人ってこんなにも変わるものかと驚いたものです。

そんなお義父さんの、末期ガンが見つかったのは、数ヶ月後の夏でした。闘病も虚しく、わずか3ヶ月で天国へ。最期に会えたのは、亡くなる数週間前。娘はハイハイが上達し、随分早く進めるようになっていた頃。そんな娘の姿を、やせ細ってしまった顔をくしゃくしゃにして、笑いかけてくれていましたね。その光景が最期になるとは思っていなかったから、そんなに長居はしなかった。そろそろ疲れてしまうかなと、「また来るね」と話したのが最期になってしまいました。あれが最期になるとわかっていたのなら、もっと長居して、1秒でも長く同じ空気を吸わせてあげたのにな。

あれから、もうすぐ2年です。ハイハイしていた赤ちゃんだった娘も、元気に走り回る立派な子どもになりました。おしゃべりも上手になってきて、自分の意思を一生懸命伝えてくれるのです。そんなやりとりを見せたかったし、見たかった。2年が経とうとしている今も、時々思い出しては、お義父さんがいたらどんな顔で見守ってくれたかなと思いを巡らせています。そっちの世界から見てくれているのかな、見守ってくれていたら嬉しいです。

祖母へ

見せたかった未来

美保（愛知県）35歳

最後の会話は、新入社員として半年が過ぎた頃。昔抱いていた医師の夢を諦めきれなくて、誰にも言わずに受験した大手予備校のセンター試験模試の帰り道。ばあちゃんの誕生日に掛けた電話だった。

「美保ちゃんの結婚式には出席したいのよ。」

結婚の予定もない私に、ばあちゃんは言っていた。

小さい頃から、お医者さんになりたいと言っていた私。

「うちの孫は医者になる位頭がいいんだ」

と自慢していた、ばあちゃん。浪人を重ねて医学部合格の雲行きが怪しくなって、上京して文系大学に進学した私に、その後は一度も医学部のことは触れなかった。その代わりか、

「いつ結婚するの？　花嫁姿が早く見たい」

と言ってくるようになった。その頃、とてもじゃないけど結婚なんて未来を描くことは出来なくて、そう言われる度に正直苦虫を噛み潰すような思いでいた。

誕生日の電話で、喉元まで出かかった、また医学部に挑戦しようと思うの言葉は飲み込んだ。また心配かけると思ったから。

この電話の２日後、脳梗塞でばあちゃんは倒れた。それから、私の前で動くことも喋ることも反応することもなかった。

１年と３ヶ月後、息を引き取った。

私は病床でも医学部受験について、ばあちゃんに話すことは出来なかった。孫を代表して、私が弔辞を読んだ。そこでも言えなかった。棺が閉まる前に、

「絶対いいお医者さんになるから」

と告げた。事情を知らない周りの人達は驚いていたけど、最期に言わなくてはいけない気がした。

それから９年後の２０２１年春。

ばあちゃん、私お医者さんになったよ。

素敵な男性と出会って、８月には結婚もします。

祖母へ

白衣を着た姿も、花嫁姿も、ばあちゃんに1番に見て欲しかった。

毎日医師として頑張っていたら、また天国で自慢の孫だって言ってくれるかな。ばあちゃん、頑張るよ。見ていてね。

雨のち、日本晴れ

鈴木 のりこ（東京都）36歳

おじいちゃんへ

最後に手紙を書いたのは、去年の9月だね。

久しぶりに手紙を書きます。

去年は、お正月に1度しか会えなかった。それが今でも残念です。

もうとっくに大人なのに、いつもお小遣いをくれてありがとう。

「いらんよ」と言いつつ、ちゃっかり貰っちゃう孫だったよね。本当に、感謝しています。


学生時代は、よく怒られたなあ。期待してくれていた進学校に進めず、ガッカリもさせたと思う。

正直に言うと、勉強は好きじゃなかったし、いろいろと言われるのが嫌だった時期もあった。

でも、上京してからはあまり深く聞かずに、応援だけしてくれたね。

たまに電話すると料金を気にしてすぐ切ろうとされたけど、必ず最後に

「いつも日本晴れが続くわけじゃないけな、雨風強い時もある。でもめげずに、何より健康を一番にせぇよ。これだけ。」と言ってくれた。

それにどれだけ救われたかわかりません。


今だから言えるけど、つらい時には聞きながら密かに泣いていた時もあったよ。


去年8月は、パソコン越しだったけど、結婚相手を紹介できてよかった。

自分でも、まさかおじいちゃんと同じ名前の人と結婚するなんて思わなかったよ。婚姻届のサインも引き受けてくれてありがとう。

でもそれからがあっという間だったね。

入院しちゃって、コロナのせいで誰も面会できないし、おじいちゃん携帯電話も持ってないしさ。本当はすぐにでも駆け付けたかったよ。

たまたまの感じで、入籍した時の写真と手紙を送ったけど、本当はおじいちゃんが読めますように間に合いますようにって半泣きで送ったんだよ。お母さんから、ちゃんと読んで笑ってたって聞いてうれしかった。


94歳、大往生。いろんな人が言っていたけど、わたしはもっともっと生きてほしかった。今でも寂しいです。

おじいちゃんが何回言ってくれたかも分からない、「いつも日本晴れじゃない、雨風が強い時もある」が、つらい時や悲しい時にふっと頭に浮かんできます。

それでええよな。また日本晴れになれる日を目指して生きていったらええよな。

おじいちゃん、いままで本当に本当に本当に、ありがとう。

のりこより

あなたは一人じゃなかったよ

荻野綾子（埼玉県）36歳

大学のときの仲良しグループで、30歳になっても結婚できなかったのは、私とあなただけ。学生時代は7人くらいで集まることが多かったのに、みんな家のことや子どものことで忙しくなっちゃったから、自然とあなたと私、二人だけで会うことが多くなったよね。

でも、あなたと会っている時間は正直楽しい時間じゃなかった。あなたもそうでしょ？　昔の仲間たちに置いてきぼりにされた寂しさを「あぶれた」「もう会話に入れない」「一緒にいてもつまらないよね」ってさもみんなが悪いように言って。「変化がない」「何をしても楽しくない」「いつまでこれが続くんだろう」なんて後ろ向きなことばかり話して。

婚活パーティーに一緒に行って、撃沈するたびに「もっと若いときに頑張っておけばよかったね」なんて言っても仕方ない、たられば話をして。

あなたがうまくいきそうなときには「よかったね」って言いつつも、先を越されるんじゃないかとヒヤヒヤしたし、自分がうまくいってるときには、ちょっとマウンティングするようなことをしちゃった。

「ずっと一人なのかな……」「私のこと好きになる人なんていないと思う」っていつも言っていたあなた。

だけどね、葬儀にはびっくりするくらい人が来てたよ。

小さな会場には入りきれなくて、香典返しも足りなくなって式場の人がバタバタ補充してたくらい。

もちろん、みんな涙を流してた。

こんなにあなたのことを想ってる人がいるんだよって、あなたにも見せてあげたかった。

私たち二人で競い合ったり慰め合ったりネガティブな話ばっかりしたりするうちに、きっと周りが見えなくなっちゃってたんだね。

勝手に周りと壁を作って、閉じこもっちゃってたんだね。

友人へ

人は一人じゃない。

昔は、綺麗事のように聞こえた言葉だけど、あなたがいなくなった今、すごく重く感じています。

マーくんへ

マー君ママ（埼玉県）37歳

マーくん、元気ですか。

あなたが亡くなって、もう三年が経とうとしています。あの日の元気な「いってきます」は今も忘れません。そして無言の「ただいま」は今も私の胸に残ります。悔しさややるせなさも一緒に。

「大きくなっても小さくならないものはなあに」

亡くなるちょっと前だったかな。
マーくんがママになぞなぞを出しました。
あのときママは答えを聞くのを忘れてしまいました。
なぞなぞの答えは謎のまま、結局、あなたは手の届かないところへ行ってしまった。

何度泣いたかわからない。
何度死のうと思ったかも。

マーくんの使ったランドセル。遊びっぱなしの変身ベルト。トイレの隅っこに描かれたラクガキ。どれもあの日のまま。どうすることもできません。

どれだけ歳を重ねても傷が癒えることはない。大きくなっても小さくならないもの。それは『哀しみ』でしょうか。

ねえ、マーくん。

今でもママはあなたを探してしまいます。この前はすべり台をしている男の子に思わず「マーくん」と声をかけてしまいました。その子はすごく不思議そうな顔をして、逃げるようにいなくなりました。あなただったら、きっと、飛びついてきたでしょう。「ママ！　ママ！」と言って。あんなに愛されたことはなかった。あんなに愛したことだって。

今でも思い出すマーくんとのしりとり。「マ」になれば必ず「ママ」と答えるあなた。やさしい眼差しで、やわらかい瞳で。あなたの目に映る私はいつも笑顔だった。あなたが撮ってくれた写真だって、すぐわかる。なぜなら私が一番笑っているから。

本当はもっと一緒にいたかった。出来ることなら、ずっと。

マーくんのいない生活は哀しみに満ち溢れています。空が晴れても心が晴れることはありません。

それでも、美しい空を見ると「マーくんが天国でたくさん笑ってるのかな」って思う。急な雷雨のときは「今頃マーくんが怖がって泣いているんじゃないか」って思う。

ねえ、マーくん。

あのときのなぞなぞの答えがようやくわかりました。

大きくなっても小さくならないもの。

それは、愛、です。

マーくんへ

過去と現在にくれたもの

レンピカ（神奈川県）37歳

つらかったことって、後で振り返ると妙な高揚感を覚えることはないですか？「あれはつらかったな〜」と、つらい思い出話をしているのに、話している人は嬉しそうにしてしまう感じ。その状況をともに過ごしていた仲間と共有すると、なおさら盛り上るものです。きっと話題の中心に居たであろう部活同期のT君とは、会えなくなって随分経ちました。

T君の第一印象は、文句の多い人。

私たちの高校の陸上部は、男女混合で同じ練習メニューをやっていました。試合で走る距離以上を何回も連続で走り、負荷の高い筋トレをするのは日常茶飯事。

そんなときT君は「もうヤなんだけどーー」「やってらんないんだけどーー」と大騒ぎ。「黙ってメニューこなせないのかな」と印象は良くありませんでした。

しかし、長く一緒に過ごすうちに、T君は不満を口にすれば、言った分以上に頑張る人だということを知りました。

それからは、概ね好意的に彼の大騒ぎを聞けるようになりました。むしろ楽しみだったかもしれません。キツい練習メニューが来る度、様々なネタを多彩な語彙で口にしていました。

負荷の高い練習メニューをコーチから渡されて「何なのあの女ァーーー」と叫んでいたときには、みんな口には出しませんでしたが、心の中では彼に完全同意していました。これはリアルタイムで知ったのではなく、大人になってから同期たちと話して分かったことです。

2年生に進級したころ、突然T君は亡くなりました。高校から死因を伝えられず、事故なのか病気なのか曖昧なままで、ご両親に伺うのも憚られるものがありました。部活内で彼の存在感が大きかっただけに、別れが曖昧なことも手伝って、死を受け入れることができませんでした。

高校卒業後、大分経ちましたが、同期たちとは今も付き合いが続いています。そして必ず話題に上がるのは、あの頃の練習は大変だったねということ。意外とみんな、どこか嬉しそうになる話題。T騒ぎすぎだったよね、とT君のことで持ちきりになることも。

あの日々を一緒に振り返って、思い出話をしたかったよ。当時は実感していなかったけど、つらい練習の中であなたの本音に救われて、あなたの有言実行する姿勢には身が引き締まる思いがしてた。つらいことがあったら声を出していこうって思えるようになったの。卒業後も、あなたのスタンスを参考にして乗り切れたことがいっぱいあった。過去の私、現在の私から、ありがとうと伝えたい。

産んでくれてありがと

しまあか（沖縄県）37歳

お母さんが亡くなってから今年で31年。当時6歳の泣き虫だった私も、今では3児の母で、お母さんの歳を超えてしまいました。一緒になった主人は優しい人で、「今日の義母さんの命日に」と、お小遣いでお花とホワイトデーのチョコを買ってきてくれました。遺影をみた長男は「ばぁばはママそっくりだ！」と言ってます。

34歳でさ、愛する人と3人の子供達を遺して天国行くって、無念だよね。もっと一緒に居て、守って成長見たかったよね。

お母さんとは人生で6年しか一緒に居られなかったけど、台所でお料理する姿も、花壇での花植えも、編み物する横顔も覚えてる。出席出来なかった私の入学式に、病室でお揃いの服を作ろうとしてた事も聞いたよ。嬉しくて泣いてしまった。

思春期から少し荒れた時期も有って、寂しい事も、悲しい事も、色々有ったけど、立ち直るその度に強く少し優しくなれた気がするよ。愛する人達と居られる時間も、大切にしようと思う。

お母さん、37歳の私今やっと、自分の人生を楽しんでます。産んでくれてありがと。天国から、お父さんと私達を見守ってください。

逢いたいよ。

山田 美沙子（宮城県）38歳

愛する　智世へ
あなたが居なくなってから、もう2年余りが経ったね……。
あの日から、あなたを思い出す度に思うこと。
「あの時もし会っていれば、未来は変わっていたのかなぁ。」

大学を卒業してからはお互いの生活環境も違ったし、すぐに会える距離でもなかった私たちは、年に1回、お互いの誕生日に手紙を送り合うだけの仲にはなっていったものの、あなたが何か悩んだ時は、いつも私に連絡をくれていたよね。頼られるのは嬉しい反面、私には小さな子供たちもいて、余裕のない時は正直、あなたの相談に乗るのを後回しにする事もあったけど、私ができる精一杯で、あなたを受け止めてきたつもりだった。

その年のお正月、私が帰省する際、いつもは家族に遠慮してか「会おう」なんてめったに言わないあなたが、珍しく「会いたいね」って言ってくれて。何だかすごく、いつも以上に私を必要としてくれている気がして、「会わなきゃ……！」という使命感すら覚えていたのに、結局いつもと同じ、〃家族が居て自由に身動きがとれない〃という理由で、ちょっとした後ろめたさを感じながらも、会うのを断念した私。

まさかそれが、あなたに会える最後のチャンスだとも知らずにね…。

その後、1ヶ月も経たずしてあなたの訃報を聞いた時は、頭がまっ白になった。駆けつけた時にはすでにお葬式は終わっていて、華やかに飾られた仏壇の写真のあなたがただただ綺麗に笑っているだけだった。

信じられない。もう「会えない」なんて、よく分からない。よく分からないけど、もう二度と「会えない」って思うだけで、涙が止まらなかった。でも、どんなに泣いても、もう「会えない」んだ。

人の命は尊いって頭では分かっていた事だけど、あなたがこの世に居なくなって、人生で初めて親友を失って、〃尊い〃って言葉の意味が、ようやく分かった気がするよ。

それと同時に、命が儚いってことも、知った。

いつも当たり前だと思っている事は、実は当たり前じゃないんだなって、今はそう思う。いつでも会えると思っていたけど、〃今〃しか会えないってことが、本当に実在する。

もっと、あなたを大切にすれば良かった。自分なりに大切にしていたつもりだったけど、こんなに早く、お別れが来るなら、もっとあなたのためにしてあげられた事があったんじゃないかと、あれから何度も自分の心に問いかけているよ。


逢いたいよ。

友人へ

もし過去に戻れたら、あの時あなたに会って、もう一度伝えたいことがあるんだ。

〝どんな時も、私のために　生きててほしい〟って。

もう叶わぬ願いだけどね…。

智世？　辛い時、いつも側にいてあげれなくて　ごめんね。

あの時　会えなくて、ごめんね。

20年間、ずっと友だちでいてくれて　ありがとう。

今まであなたからもらった沢山の愛は、ずっと私の中で生き続けていくよ。それが、あなたの生きた〝証〟だから。

またいつか、あなたに逢えるよね？

「逢いたいよ。」

もし逢えるなら、今度は絶対に、会いに行くからね。

美沙子より

逢いたいよ。

祖母へ

ありがとう。頑張るね。

服部 温代（石川県）39歳

おばあちゃんは、肝が据わってて、だけど繊細で、いつも家族のことを気にかけてくれていましたね。

わたしは、恋バナ、結婚、育児、不安になった時は、すぐおばあちゃんに相談してましたね。叱ってくれて、応援してくれて、おばあちゃんは、わたしの1番の先生です、ありがとう。

今も、おばあちゃんの声が心に届きます。

「自分に自信を持って、家族を信じて、笑って過ごすんやで。そしたら、大体は上手いこといくから。」

ありがとう。頑張るね。

毛皮をまとった息子へ

廣野 紗梨衣（神奈川県）39歳

十代で不治の病を発症し、子を授かる事が出来なくなった私の人生に一番星として現れ、光を照らし導くように一緒に歩いてくれたのが愛犬スタンリーだった。

そんな頑張り屋さんのスタンリーの身体は癌に侵され、余命二週間という宣告を受けた。その時、私はこれからどうやって生きていけばいいのか分からなかった。それでも一緒に闘うと決めた。

癌の痛みに耐えられなかった日は一日中動かず、お水もご飯も口にせず、ずっと唸っていたね。何も言わなくても伝わってくるその痛みにじっと耐える姿には心を打たれた。そして癌は身体中に広がっていき、視覚も嗅覚も失ったスタンリーだったけれど、やっぱり彼は強かった。

僅かに残った聴覚を使い、壁にゴッゴッぶつかりながら私を探し、顔を舐めにきてくれた。そして一緒にベッドで横になり、決して私を一人にしなかった。

余命宣告を受けてから一ヶ月が経った日、十二歳のお誕生日を迎えたが、その一ヶ月後、苦しみに苦しんだ小さな命は私の腕の中で永遠の眠りについた。

スタンリー、貴方は私にとって親友であり、戦友であり、何よりも守りたい息子である事にはずっと変わらない。

貴方は真実を映す鏡でもあった。私自身の弱さを映し、もしこの鏡がなかったら、きっと自分自身や支えてくれる人々を見失い、誰かを傷つけながら生きていただろう。どんな教科書にも載っていない事を沢山教えてくれたね。病や弱さを嘆き悲しむのではなく、今あるものに感謝をし、生きる喜びへと繋げていく大切さ。また貴方の生きる力、生きたい力からは愛を学び、愛は静かに与えられるものであり、愛するという事は生きる糧であると学んだ。

貴方の存在は決して思い返しては寂しくなるだけのものではない。悲しみも苦しみも永遠に続くものではなく、全てを経て手に入れた幸福は永遠であると気付かせてくれた。

毎朝「おはよう」を伝えたい。それは一日が始まる最初の音であり、その音は皆に「今日も一緒に頑張ろう、誰も一人じゃない」と言うことを知らせる。毎晩「おやすみ」を伝えたい。それは一日が終わる最後の音であり、その音は皆に「今日も無事に生きている、命さえあればいい」と言うことを知らせる。

貴方は私を強くし、慰め、喜びを二倍、三倍へと大きくし今でも心を満たしてくれる生きる源だ。これからも私の永遠の形は貴方の母であり、私の息子になってくれ本当にありがとう。

トミさんへ

めぐきち（千葉県）39歳

トミさんの口癖は「悪いわねぇ」でした。「そんなことないですよ。こちらこそ、上手くできなくてすみません」と私はいつも答えました。

新人の私がトミさんのオムツを変えたり、着替えのお手伝いをするのに、ベテランの職員がやるよりずっと時間がかかったし、身体にご無理をさせてしまったこともあったでしょう。それでもトミさんはいつも、「悪いわねぇ」と言って、私に感謝の言葉をかけてくれました。

普段は物静かなトミさんと、故郷の話をしたことをよく覚えています。学校の帰りに友だちと川に裸で潜り、泳いでいると嫌なことは全て忘れたと。あの頃の川の水はとても綺麗で、水の中で目を開けると、川底の石がキラキラ光っていたと。いつか一緒に泳ぎましょうと笑い合いましたね。

コロナ禍となり、ご家族と面会ができなくなっても、トミさんは一度も寂しいと言いませんでした。でも、はじめてパソコン越しにご家族と面会をされて、画面の中の娘さんとお孫さんを見て目を細め、パソコンの画面に触れて「あったかい」と呟いたトミさんの涙を忘れることができません。

施設で発熱され、救急車で搬送されるときも、トミさんは「悪いわねぇ」と言いました。あのときもっと、トミさんへの気持ちを伝えればよかった。トミさんが謙虚で懸命に生きる姿に、私はいつも勇気をもらいました。トミさんはご家族に会えなくて寂しかったと思いますが、私はトミさんと過ごすことができて幸せでした。

共に生きてくれてありがとうございます。大切なことをたくさん教えてくれてありがとうございます。

以前よりも少し、私はオムツ交換も着替えの介助も上手くできるようになりました。目を閉じると、美しい川で自由に泳ぐトミさんの姿が浮かんできます。

トミさんへ

ありがとう。

ポコ（埼玉県）39歳

小学校5年生になる直前に病気がわかったね。

あれから4年弱、その小さな身体で入退院を繰り返しながら本当によく病気と闘ったね。

重い病気がわかって泣くことしかできない弱虫でダメなママを見てから、どんなに厳しい状況であっても笑顔で前向きに病気と向き合おうとする姿勢は例え本当は怖くて強がりだったとしても、そう演じてくれるアナタにあの時のママはすごく勇気づけられていたよ。

こんな弱虫のママだったから強く明るく振る舞うしかなかったんだって思っていたけど、後からアナタと一緒に入院していた何人かのお友達から聞きました。自分の方が辛い状況だったはずなのにいつも笑顔で励ましてくれたし、どうやって治療を乗り越えればいいかを一緒に考えてくれていたって。

アナタは看護師になるのが夢だったけど、看護師としての資格はなくても充分看護師のような働きをみんなにしていたんだって思う。立派だね。

病気が再発するたび、アナタの心がいつ崩れてしまってもママがそれをしっかり支えようって思っていたはずだったのに、結果いつもママがアナタを頼りに支えられていたって事がいなくなってしまった今、改めて感じているよ。

見たらつられてみんなニコッとなってしまうその素敵な笑顔の裏にはどんな辛さや不安があったのだろうと思うけど、それを人に見せることなく周りを笑顔にしてくれた貴方の存在は本当に素晴らしかったね。

　お別れが近づいた時に「ごめんね。」と「ありがとう。」を言ってくれたけど、こちらこそ「ごめんね、ありがとう。」だった。

けど、今は考えても考えても感謝の言葉しか浮かばないの。

パパとママの元に産まれてきてくれて貴方に出逢えて、14年という短い人生でも精一杯生き抜く姿を見せてくれて本当にありがとう。

　これから先ママが貴方のように素敵な存在になれるかはわからないけど、いつか貴方の元に逝く時にその素敵な笑顔に迎えて貰えるように頑張ってもうしばらくここで生きようと思う。

ありがとう。

四十代からの手紙

夫へ

洋一、あのね。

本郷 郁恵（兵庫県）40歳

お骨拾いの時、優弦は「お父ちゃんと手～つなぎたいから手を拾いたい」と言って、たくさんの骨を拾っていたよ。

大地は「こども園のお友達にお父ちゃんの骨見せたい」と、相変わらずおバカな事を言ってたわ。

お骨は今も家に置いてるよ。

色々迷ったけど、やっぱり側にいるのが一番かな～って、みんな一緒がいいかな～って。

洋一は3月に亡くなってもたから、お花見行けんかったね。

毎年みんなでお花見に行ったね。

楽しかったね。

今年は、家の庭に飛んできた花びらを子供達が集めてお仏壇に飾ったよ。

最近優弦が「お父ちゃんはどうやったら生きかえるん？」

って、聞いてくるんよ。

大地は七夕の短冊に「おとうちゃんがいきかえりますように」って、書いてたんよ。

洋一やったら、なんて応えてあげる？

ギュ～って、抱きしめてあげるんかな？

最期も苦しいのに二人のこと抱きしめてたね。

あの時の写真、大事にとってるよ。

洋一との写真たくさんたくさん残ってるよ。

たくさんの思い出をありがとね。


コロナで延期延期になった大地の発表会、結局洋一は見れんかったね。

後1週間やったのにね……

洋一の代わりに優弦がビデオカメラ撮ってくれたよ。

「重たい重たい」って、言いながらも頑張って撮ってたよ。

大地も発表会頑張ってたよ。

優弦の参観日は無くなったんや。

去年もコロナで参観日無くなって、結局優弦が教室で頑張ってるとこ一度も見れずに天国に行ってもたね。


洋一、あのね。

夫へ

でもね、優弦が「参観日無くなってもたけど、お父ちゃんはお空にいるから見てくれてる」って、言ってたよ。

そやね、大地の発表会も、優弦の参観日も、いつでも私たちのこと見てくれてるやんね。

「大地のランドセル姿、優弦と大地が一緒に登校する姿を見たい。それまでは生きたい」って、何度も言ってたけど……

二人の成長する姿、これからも見ててね。

ずっとずっと、見ててね

親愛なる真梨へ

あいこまん（大阪府）40歳

真梨の誕生日の七夕の日にこの企画を新聞で見て、真梨に届く気がしたから書いてみようと思ったよ。

高校2年の冬真梨が突然いなくなってから、今年の冬で23年……。「亡くなった」ってことを改めて考えた時滑稽かもしれんけど、今もまだ何かよくわからへんねん。でも真梨はもっと信じられへんし、意味わからんよな。だってアルバイトが最終日やったクラブ仲間の1人のお店に皆で昼ご飯食べに行って、その後夕方まで一緒に過ごしていつも通り「バイバイ」って言って帰ったんやもん。そう、全ては「いつも通り」のはずやった……真梨がいなくなること以外は。あの日から私はいっぱい後悔してた。急性心不全やから、実際は私にはどうしようもできひんかったんやけど。真梨が亡くなる何日か前インフルエンザにかかって5日間学校休んでた時、無性に寂しかった事伝えてたり、クラブの皆でご飯食べに行った日、病み上がりで来てくれた事ちゃんと気遣えてたり、うろうろしてる時ドリカムの「朝はまた来る」の歌が鳴ってたのを神様からの忠告やともし気がついてたら。帰宅後いつもみたいにポケベルに「今日はありがとう」とかメッセージ送ってたら……。ずっと前にクラブ仲間で「死ぬまで友達」っていう話をしてる時「死んでも友達」って言ってたら……。

もし、何か一つでも出来てたなら真梨は今も生きててくれてたんかな。

真梨が亡くなった事を学校で聞いて頭と目が痛くなる程泣いた夜、夢に来てくれたね。「私が死んだん嘘やで」って真梨が言ってくれて、すごく嬉しいのと安堵で目を覚ましたら夢やって気づいてまた泣いた。あれから1年ぐらいは私が弱ってる日はよく夢に出てきてくれたね。あのまま覚めへんかったら良いのにって何度も思った。真梨は年を重ねる事に夢に来てくれへんなったけど、私がピンチの時、真梨の名を心の中で呼んだらいつも助けてくれる。

真梨に恩返しするつもりで通ってたお墓、いつの間にか居心地の良い大切で大好きな場所なってた。私が病気になって身体が不自由になったから前みたいに毎月ではなく、命日とお誕生日にしか行かれへんなったけど、これからも行くからね。

人は忘れられた時二度死ぬって聞くから、私は絶対真梨のこと忘れへん。私があの世に行った時、真梨に「頑張ったよ」って言えるように、頑張って生きることを頑張るから。

真梨にこれだけは伝えたい。私と出逢ってくれて、いつも守ってくれてありがとう。真梨に出会えて本当に幸せやった。死んでも私にとって真梨はずっと親友、ずっと大好きやで。

お兄ちゃんへ

切手のないおくりもの（千葉県）41歳

「お兄ちゃん」声に出して呼べなくなって十五年になりました。隣に乗って貰っていた車は手放しました。相変わらず運転は下手！　と自分に言い聞かせています。ゴールド免許になったと言ったら信じてくれないでしょう。キーを失くして付けられた大きな鈴も、家の壁に擦って付けられた交通安全の腕章もあのまま次の車に引き継いでいます。

アメリカンドラマみたいなノリが大好きでした。「あんな男はいないから絶対振られるなよ。振られたらぶっ飛ばすからな。お前が絶対振るなよ。振ったらぶっ飛ばすからな」最後の会話になったあの約束は守れませんでした。更にぶっ飛ばされるだろうけれど、私から別れました。そして苗字も変わりました。お兄ちゃんの知らない私ばかりが増えていくことが怖くなる時があります。不思議だけれど、子どもたちは皆、お兄ちゃんにそっくりです。一番上の子は自分の痛みは口にしない不器用なところが似ています。真ん中の子はノリの良さが似ています。その場に何が足りないかを感じ取って身を挺して納めるところが同じです。末っ子は傷つきやすさが共通項です。口が悪い人ほど自分のことになると弱いと、お兄ちゃんから学んでいるのでなんとか対応出来そうです。

形見となった腕時計、二十代のある時から付けなくなっていました。一時期流行った型だからこそ「今更それを?」と人に聞かれるのが厄介だったからです。けれどこの春四十の歳を迎えて、それから毎日この左手が定位置です。今なら堂々と言えます。これは時計であり、それ以上にお守りなのです。もうきっと外すことはないでしょう。

お父さんもお母さんも随分と歳を取りました。たまにその生き方に、重苦しさを感じてしまうことがありますが、自身の人生を肯定してもらう事が重要、とぐっとこちらの感情を抑えて向き合っています。こんな時に、一緒に考えて背負っていけるはずのお兄ちゃんが居てくれたらどんなにか……と思います。愚痴も不安も神様に近いお兄ちゃんへのお願いも、尽きません。お墓に刻んだ文字と同じ言葉を送ります。不尽。

S先生へ

松﨑 浩樹（茨城県）41歳

先生、今どうしてますか？　俺は相変わらずびくびくしながらも、1日1日を一生懸命生きてます。

俺が先生と出会ったのはまだ俺が1歳の頃。体の弱かった俺はしょっちゅう先生にお世話になりました。大人になり、不安障害、パニック障害を患い、まだ心療内科がほとんどなかった頃、先生が診てくれました。大人で小児科、先生は「いくつになっても私の子供みたいなもんだよ」って笑ってくれましたね。嬉しかったし、すごいありがたかったです。俺にとっても全てさらけ出せる家族のような存在でした。

ある日、院長先生に健康診断の結果を聞きに行ったとき、先生が突然亡くなったことを知りました。俺が行った前日のことと。先生は俺の心の支えであり、大好きな存在。言葉には表せない感情でその場で泣き崩れました。

俺の夢は、いつか先生にお話した、自分に子供ができたら先生に診てもらうことでした。それが俺の先生への恩返し、そう思っていました。叶いませんでした。

あるとき、俺が元気になっていくことを、自分のことのように喜んでくれた先生が浮かびました。そうか、そうだよなって思いました。

先生、俺、何があろうと自分の人生を一生懸命生き抜きます。あるがままで。これだけは約束します。その姿が先生の喜びになってもらえるといいなと思います。夢が見つかったらでっかい声で叫ぶからびっくりしないでくださいね。

コロナ渦、葬儀にも行けず、お線香すらあげられず、悲しいですし申し訳ない気持ちです。お話したいことは沢山あります。俺、一方通行でも話させてもらいますね。いつでも、どこでも、話したいときに。

俺は今までもこれからも、先生のことが大好きです。

長い間本当にありがとうございました。

P．S．今度は心の手紙送らせてもらいますね。

お父さんへ

佐羽 湖姫（神奈川県）41歳

「桜が咲く時期に逝ってしまうなんて、なんて幸せなんだろうね。」おばあちゃんが亡くなった時、車で過ぎ去る桜並木を見ながらお父さんが言った言葉。その時の言葉が今も忘れられません。あれから10年後、本当にお父さんが桜とともに駆け抜けていきました。

物心ついた時にはお父さんの診療所へ、お母さんとお弁当を持っていくのが日課でした。お父さんはいつも私が診療所に行くと笑顔で迎え入れてくれました。パリッと糊がついていて大きくて真っ白な白衣は、お父さんの象徴のようなもの。いつも、診療所の消毒のにおいが大好きでした。

私にとってお父さんの職業は憧れ。一度も自分の職業を継いでくれとは言われたことがなかったけれど、出来ることなら私もお父さんのような医者になりたかった。いい大学を出て医者になったお父さんとは対照的に、私はいつも落ちこぼれだったから。

一度も私に対して勉強しろとも言わなかったけれど、私が勉強を教えて欲しいと言ったら汗だくになって丁寧に教えてくれた。何でも一生懸命に私に向き合ってくれました。

一度は諦めた、私の医療職への道。どうしても諦めきれなくて、私は看護師の道を歩み始めました。その時もお父さんは「勉強ができない人は看護師になってはいけません。患者さんに迷惑です。」と言っていました。それほどに、簡単には務まらない職業だと時には厳しく教えてくれました。

看護学校の卒業式の日、お父さんは満面の笑みで、入場してくる私に手を振り、声をかけてくれました。私は照れ臭かったけれど、やっと少しお父さんに近づけたようで嬉しかった。私が看護師になるのを見届けるかのように、突然お父さんとの別れの時がきてしまいました。亡くなる日まで、現役で働いていたお父さん。突然すぎて、未だに受け入れることができません。あれから15年経過してもなお、私はお父さんが旅行に出かけているような気持ちなのです。

私はお父さんのように優秀な医者にはなれませんでした。でも、少しでもお父さんに近づきたかった。今は看護師、助産師となってこの職業の楽しさ、辛さを私なりに学んでいる最中です。出来の悪い娘だけれど、私は私なりに、目の前の仕事に真剣に向き合っています。今度、お父さんに会った時にたくさん楽しいことを話すことができるように、この世でのエピソードをたくさん貯金しておきます。私のそばにずっといてくれるはずだけど、やっぱりお父さんに会いたいです。そして、再会したらまた、たくさん話をしたいです。再会するその時まで、私のそばで見守っていてね。

お父さんへ

弟へ

なんでもない日の約束

安西理衣（神奈川県）41歳

「今日はなんでもない一日だったねえ。そうだ、こんななんでもない夜のこと、大きくなってもずっと覚えていようよ。」

「そうだね！　そうしよう！」

あれは、大好きだった、優しいおじいちゃんとおばあちゃんの家に泊まった夜のことでした。お布団の中で、私たちはきゅっと手を繋いでいたね。いくつくらいのときだったかなあ。確か、私が小学二年生くらいだったと思うので、あなたは、まだ五歳かそこらだったのでしょうか。パリッとしたシーツの感触とその匂いとを、今、昨日のことのようにはっきりと思い出します。いつもと違う天井、その見上げた天井の木目の向こうに、まるで月や星が透けて見えるようでした。

なぜ、その思い出ばかりが今もこんなに鮮明なんでしょうね。

仲のいいきょうだいだったね。繊細すぎて、なかなか社会生活にはうまく馴染めなかったあなただけど、人一倍真面目で、何をするにも丁寧で、思慮深く冷静で、優しい人でした。いつかは報われて幸せになってほしかったのに、階段から足を滑らせ、打ち所が悪くて亡くなったと聞いたときは目の前が真っ暗になって、泣いたかどうかも覚えていないよ。

若かったあなたを置き去りに年を重ねた私は、それでもふとあなたのことを思い出しては、今も少し涙を流します。突然のことで、何も言ってあげられなくてごめんね。今なら伝えたいことがいっぱいあるのに。

ずっとずっとがんばったね。みんな、あなたにたくさん感謝しているよ。あなたは家族の支えであり、元気の源だったよ。

「お姉ちゃんに赤ちゃんが生まれたら、僕もたくさんかわいがるからねー！」

と、笑ってくれたね。娘は小学生になりました。すごく元気で、ちょっとおしゃまで、とてもかわいい子だよ。今日はパパとゲームに夢中です。小さい頃、あなたと一緒にドキドキしながらプレイした、あのロールプレイングゲームの続編だよ。もうちょっとしたら、新しくできたお友だちと公園に遊びにいくんだって。今日はとてもいいお天気なんだ。

弟へ

大切な思い出たちが少しずつ薄らいでいくことが悲しいけど、あの「なんでもない日」の思い出だけは、きっといつまでも鮮やかなままでしょう。

あの約束はずっと守っていくね。

天井の向こうのあの空の彼方には、はちきれんばかりの未来があったね。一緒に過ごせて幸せでした。

本当にありがとう。おやすみなさい。どうか安らかに。

じいちゃん、僕は優しいですか？

天野 洋祐（岡山県）42歳

「君は優しいから」

じいちゃんはいつも僕にそう言ってくれました。

ぼくは、じいちゃんの事が大好きで、じいちゃんの言うことはいつも素直に「そうなんだ」と思っていたけれど、この言葉は、ちょっと素直に「そうだね」と言えませんでした。

だから僕は、いつも
「僕、優しくないよ」

そう答えていたと思います。

それでもじいちゃんは、

「そんなことない。君は優しい子だ」

必ずそう言ってくれました。その頃の僕は、その言葉にいつも複雑な気持ちになっていました。

じいちゃんが亡くなった時、僕は40歳になっていました。

いつも僕の事を優しいと言ってくれたじいちゃんの言葉が、時を超えて思い出されました。

それからの僕は、じいちゃんはもういないのに、じいちゃんの期待に応えたくて、「優しくしないと」「優しくできているかな」と自分に言い聞かせました。

優しくしたことを評価されたり、喜ばれたりすると、じいちゃんが微笑んでくれているような気がして嬉しくなります。

じいちゃんがいってくれた言葉が今の僕に大きく影響しています。じいちゃんの言葉通りに生きていると感じる自分に誇りを感じることもできています。じいちゃんのおかげです。さすがじいちゃんです。感謝しています。

おばあちゃんの舌

花丸恵（埼玉県）42歳

何を食べたいか聞かれると、

「美味しいものなら何でもいいわ」

おばあちゃんはいつも声を弾ませて答えていました。本当に食べるのが大好きで、

「何か美味しいもの知らない？」

と口癖のように言っていました。ひょっとして寝ているとき以外ずっと、食べ物のことを考えているんじゃないか。そう思っていました。

子供の私に、おばあちゃんはいつも手土産のお菓子を買ってきてくれましたね。特に忘れられないのが、竹の皮に包まれた小さな切り羊羹です。子供心に「なんだ羊羹か……」と思ったけれど、ひと口食べて、その美味しさに驚きました。あの上品な味、今でも鮮明に覚えています。

三十年の時が経ち、今度は私がおばあちゃんに手土産を買っていくようになりました。体が衰えても味覚は鋭く、その舌を唸らせるのは至難の業。一体何を持っていけば満足してもらえ

るのだろう。私はいつも頭を悩ませていました。

ある日、ワンカット八百円もするショートケーキを買ったときのこと。ひと口食べて、おばあちゃんはこう言いました。

「スポンジの食感がイマイチね」

ケーキは甘くても評価は辛口。孫の手土産にも情けはかけません。

そんなおばあちゃんに正直、辟易したこともあったけれど、私が帰るときには、

「お菓子ごちそうさま」

そう言って笑顔で見送ってくれましたね。立ち上がるのも億劫なのに、玄関まで歩いてこようとするおばあちゃん。その姿を見ると、「また何か買ってくるからね」と言ってしまいます。

私はそうやって、おばあちゃんの手のひらの上で転がされていたのかもしれません。

街を歩いていて美味しそうなものを見かけると、今でもおばあちゃんの顔が浮かんでしまいます。おばあちゃんに食べさせたいなぁと思ったそのあとに「あ、もういないんだ」と我に返るのです。こんな時、得も言われぬ寂しさが胸にこみ上げてきます。

おばあちゃん、あと三年で百歳だったのに、惜しかったね。

もし、百寿を祝えたとしたら、おばあちゃん何が食べたかったかな。

そんなことを考えていると、

「美味しいものなら何でもいいわ」

おばあちゃんの弾んだ声が聞こえてくるようです。

おばあちゃん、長生きしてくれて本当に有難う。九十七年の人生、お疲れさまでした。

私がいつかそちらに行くときは、今度こそおばあちゃんの舌を唸らせるような手土産を持っていきます。その日まで、どうか見守っていて下さいね。

こぶより感謝

ばいがい（大阪府）44歳

先日同僚のお母様が亡くなられました。場所は違いますが、その方もお父さんと同じガンだったそうです。

生前の闘病生活のことをおうかがいしていると、お父さんとの「先の見えない闘病生活」のことが思い出されました。

10年前におかんが亡くなったころ、お父さんはまだがっちりした体型でした。「お父さんをよろしく」という言葉をおかんからもらっていた僕は少し気負い過ぎていたのだと思います。事あるごとに体の心配をする義理の息子はお父さんにとってうるさい存在だったのかもしれません。

仕事が忙しくなったこともあり、少しずつお父さんとは疎遠になっていきました。苗字も違うし、血もつながっていない、だからといって避けているわけではありませんでした。仕事の時間、家族との時間、お父さんとの時間、バランスのよい立ち回りができなかった自分の不器用さが悔やまれます。

頑丈そうな見た目と「大丈夫、心配ない」という言葉を鵜呑みにしていた結果、体調の変化に気付くことができず、病院に同行したときにはかなり病状は進行していました。

義父、継父と母親の再婚相手の呼び方は様々あるそうです。各種届け出を書いていると、照れくさくて「お父さん」となかなか呼べなかった自分の姿が思い出されました。

おかんと一緒にいてくれたおかげで、僕は安心して家を出ることができました。大学を休学して中央市場で住み込みで働いたり、思うがままにさせてもらいました。人生初の冬のボーナスで買った高級と思われるウイスキー。わけもわからずビール党のお父さんにプレゼントしました。「大事に飲まなあかんな。」とじんわり笑顔で水屋に直した姿を今でもよく覚えています。

対症療法が続くなかで、日に日に痩せていくお父さん。そんなお父さんと対照的にガンはどんどん勢力拡大して、おなかのものは皮膚の上からでも触ってわかる位になっていましたね。

半開きのカーテンで薄暗く、ほこりっぽい部屋のなかでガンと闘っていたお父さん。昔の洋画をしかめ面で見ている横顔からは、何を考えているのかわからなかったし、かけるべき適切な言葉も思いつきませんでした。

ところで先に旅立ったおかんとは、出会うことはできましたか？おかんよりも先に行ったおとんと三角関係になってなければ良いのですが。

最後に

おかんと出会ってくれてありがとう。大きすぎるこぶ付きだったと思いますが、それも含めておかんを受け入れてくれた度量の広さに脱帽です。

失敗は生きてゆく糧。

鈴懸ねいろ（千葉県）45歳

先生。今年私はとうとうあの頃の先生の年齢を越えてしまいました。先生と同じ教室にいた私は十二歳の内気な女の子だったのに。当時の私は、先生が発行していた学級通信を楽しみにしていました。先生が読んだ本の感想や好きな歌詞など、保護者ではなく子供達宛に書かれていたことが嬉しかったです。大好きな学級通信でしたが、一度だけ私はそれをランドセルの奥深くにしまい込んだことがありました。私のことが書かれていたからです。覚えていますか。

ある日の社会科の時間、引っ込み思案なくせに私は自ら手をあげて発表しました。魔がさした感覚でした。でもそれは見当違いな内容で間違っていたのです。教室のあちこちから、間違ってる！　と笑い声があがりました。恥ずかしさでカッと熱くなった顔を下へ向けて私は席に座り、手を挙げた事を悔いました。溢れる涙を拭いながら、もう二度と発表しないと心に決めました。正解を答えられない駄目な自分が嫌になりました。

帰りの時間、その日の学級通信が配られました。そこには自ら発表したけれど間違えて笑われた私の事が書かれていました。なぜこんな余計な事をと思った私は、恥ずかしさと悲しさと怒りで先生を避けるようになりましたね。

後日、その学級通信をもう一度読んでみました。勇気を出して発表する事と、自信がないからと発表しないでいる事。今必要なのはどちらなのかと先生は問いかけていました。子供の時に失敗から学ぶ機会がある事は必要で、先生のクラスは沢山失敗できる場所にしたいと書かれていました。今後は誰かの失敗を笑う事は許さないよ、と。

学級通信のおかげなのか、それからのクラスの雰囲気は少しずつ変わりました。誰かが走るのが遅くても、音読がうまく出来なくても、何かを間違えても、誰も笑いません。失敗や出来ない事があってもそれが当たり前の事のようになり、教えてくれる子も出てきました。

大人になってからも私はよく失敗します。取り返しのつかなさに、うちひしがれます。けれども後で冷静になってみると、失敗の中には自分を導く芽が必ず隠れていると気づきます。それは先生が教えてくれた事。先生へのわだかまりは感謝へと変わっていったけれど、それを伝える前に先生はもう、青空の彼方へと旅立っていました。

先生ありがとう。私は今、笑われてもいい、これが私、と思いながら、文章を書いて生きています。

お父さん またね。

まあちゃん（山梨県）46歳

お父さんへ

ねぇ　お父さん
良かったでしょ？　ずっと私が居たから……。
うるさくて、いばっていた、そんな私だったけれど
ずっと側に居られて良かったでしょ？
拓にも感謝だよね。結婚してすぐ一緒に住んでくれて、
そんな事してくれる人なかなか居ないよ。
お父さんと拓、全然性格違うから、いつも私　真ん中でハラハラしてた。
拓をかばえばお父さんヤキモチやくし、お父さんの事を中心にすれば拓、怒るし。
いつもハラハラしてた。
そんな中での自分の子供の子育て、何かいつもハラハラしてたの。
でもそんな状況も私だったからこなせたんだよ。それもすごいでしょ？

私が娘で良かったでしょ？
お父さん……きっと、何ヶ月後でも、何年後でもお別れの時は、もう少しでいいから
まだ一緒に居たかったって思うんだろうけど、もう少し、まだ一緒に居たかった。
まだ、私の作ったゴハンを、私の作ったお弁当を食べて欲しかった。
「まあちゃん、無理しないだョ」の毎朝の言葉
「まあちゃん、ご飯はゆっくりでいいョ」の毎晩の言葉
毎日、同じこの言葉、まだまだ聞いていたかった。

お父さん……。
お父さんがしてくれた全ての事に本当に感謝しています。
何も伝えなくても壊れた所はすぐ直ってる。
玄関　勝手にペンキぬっちゃって、「まあちゃんいいら？」って
色がおかしくて、「余計な事しないで」と言った私の言葉に悲しい顔させてしまった。
そんな事も有ったけど……
比菜・隆一・凌永が、素直で居てくれるのも、私達親では出来ない事、
私達親以上の優しさで守ってくれたからよ……。
自分の事よりも、私達子供に、孫にと　私達を優先し、平等にしてくれた大きな愛、

お父さん またね。

本当に、本当に有難う。拓と仲良くしてくれて有難う
ねぇお父さん……
健司と真樹の真ん中で手をにぎられて　抱きしめられて　最後のあの時なんて、
スペシャル最高だったでしょ？

お父さん私ね、全然後悔はしていないの。毎日、毎日、全力でお父さんと一緒に居たから。

1㎜も後悔はしていないの。

でもね、やっぱり寂しい。すごくすごく寂しい。

けど、元気に元気に笑っていくからね。

お父さんの子供だから頑張れるからね。

ちゃんと見守っていてね。

お父さん　またね。

真樹

パパさん

岩崎 晃久（埼玉県）46歳

パパさんが亡くなった日のことは、鮮明にではないけれど、場面場面で覚えている。幼稚園年長の初夏。目覚めたら家の中がざわついている。ビル4階のベランダに出て下を見ると、地面に白いチョークで人の形が描かれている。その周りに人が集まり、数人がベランダにいる俺を指差している。あれがトラウマになって、野次馬の光景を見るのが苦手になった。

遺体となったパパさんが、白いシーツを顔にかけて眠っている。母さんがシーツをとって、俺の手をとり、パパさんの顔を触らせ温かくないことを確認させた後、「綺麗な顔をしているでしょ」と言った。その時の母さんの顔は覚えてない。

俺は多分、全く実感が湧かなかったのだと思う。「もう会えないの?」という感情が頭をめぐるものの、実感がない。実感のないまま、葬式になり、多くの知り合いが集まっていることにテンションが高くなり、騒いでバカをやっていた気がする。そのまま40年過ぎてしまった気がする。実は20歳を機に、母さんに「何だったのか」を聞こうと思っていた。事故なのか自殺なのか。何か前兆はあったのか。けれどもやめた。俺のセンチメンタリズムを満たすために、わざわざ母さんのつらい思い出をほじくり返す必要はない。

時折、パパさんの死について話す機会があると、「飛べると思っちゃったんじゃないかな。ｆｌｙ　ｈｉｇｈ！　って」と答えている（笑）。不謹慎かもしれないけど、パパさんの死をどうしても悲劇にしたくないんだ。俺にとってあなたは喜劇の人です。

パパさんは変わっていた……のだと思う。レイバンのティアドロップとアロハシャツが似合うその風貌に反して、とても優しかったのは覚えている。そして関西の血がそうさせるのか、シュール＆ユーモア溢れる行動。クリスマスの日に「サンタさんに土足で入られると困るから」と玄関から子供部屋まで新聞紙を敷いていたのは、今考えると相当面白い。おかげで子どもながらに異常にリアルなサンタ像をイメージしていた。このイベントはしっかりと我家でも引き継がせてもらい、子ども達はプレゼントをくれる最高の不法侵入者にびびっているよ。

他にも

・雨が降った時、傘を買うのではなく、手ぬぐいを買って頭に巻いて走って帰ってきた伝説
・高校卒業後、就職のために面接を受けた際、「ちょっとすいません」と言って、未成年のパパさんがタバコを吸い始めた伝説
・たまたま皇族が乗っていたという列車に、乗り遅れそうになって、走って飛び乗ろうとしたら、顔が顔だけに、その筋の人と間違われ、警備員に取り押さえられた伝説

等々、逸話は事欠かない。

死後40年以上たっているし、記憶も薄っすらなんだけど、不思議と存在を忘れたことはない。霊的な力があるわけでもないし、興味もないのだけれど、いつもそばで守ってくれている気がする。ありがとう。きっと心霊写真で写り込んでも、ピースしているタイプだろうな。

母さんは相変わらずエネルギッシュでめちゃめちゃ元気だから、そっちにいくまでまだまだ時間がかかると思うけど、〝その時〟が来るまで、ずっとずっと見守ってあげて下さい。そして、欲張りなお願いだけど、あなたの義理の娘と孫達もどうかどうか見守ってあげて下さい。俺は人生折り返しに入ったので、復路ゴールした時には、笑いながら飛んだ真相でも教えて下さい。いろいろよろしくです、パパさん（笑）。

おじいちゃんへ

グルタミン酸ナトリウム（東京都）46歳

保育園から小学校の低学年だった１９８０年頃、ホームビデオはまだ普及していなくて、街の電気屋さんだったおじいちゃんが、運動会や発表会などの行事のたびに、テレビのカメラマンの様に、保護者の代表として行事の撮影をしてくれていましたね。子供ながらにそんなおじいちゃんのことをとても誇らしく思っていました。

時代の流れともに、ビデオカメラが珍しいものではなくなり、家庭で行事を撮影することは特別なものではなくなったのに、まだ運動場の真ん中で特別大きなカメラで撮影するおじいちゃんを、思春期の私は恥ずかしく思ったこともありました。

大学生になった頃、おじいちゃんの認知症が始まりましたね。電気屋さんはとっくにやめていたのに、直せない機械を一日中いじっている姿を見て、電気屋さんはおじいちゃんの誇りだったんだと改めて思いました。

だから、私が結婚する時には、おじいちゃんにまた撮影をしてもらおうと決めていました。昔のように会場の真ん中で。それなのに30代で結婚が決まった時には、おじいちゃんの認知症がかなり進行していて、結婚式の撮影が実現することはありませんでしたね。

おじいちゃん、おじいちゃんにはそんな気持ちがあったことさえ伝えられなかった。

今、自分が親になり、子供の運動会や発表会のたびに思い出すのは、脚立の上からビデオカメラを構えるおじいちゃんです。

おじいちゃん、かっこよかったよ。

追伸　財布に入っていた写真をきれいにプリントし、みんなの手元に届けました。

「いま」をありがとう

わるつ（佐賀県）47歳

「明日でよかやん」

まさか、この一言がお父さんと交わす最後の言葉になるなんて…。

五人家族の我が家では、三姉妹の私たちと母との女四人に対して男一人。私たち娘が思春期に突入すると、「俺は一人だ」と拗ねていたね。それでも威厳をもった大黒柱で、最後には必ずお父さんが頼りでした。

お父さんの口癖は「自分にしかできない事を見つけろ」でしたね。運動音痴で勉強もあまり好きではなかった私だったけど、得意な音楽をいつも褒めてくれて、私はもっと褒められたい一心で頑張ってきました。

そんな私も結婚して母になり、商売をしながら私たちを育ててくれたお父さんとお母さんの苦労を考えると、感謝の気持ちでいっぱいです。

お父さんにとって五番目の孫が生まれたあの日、待望の男の子の誕生を聞いて、病院まで駆けつけてくれたよね。出産を終えたばかりでまだ新生児室にいる息子を、「もっと近くで見たかー」と言ったお父さん。「明日には部屋に連れて来れるけん、明日でよかやん」その時の私は、当たり前に来るはずであろう「明日」を信じていました。まさか、それが最後の会話になるなんて、お父さん自身も知らなかったよね。

その日の夜、急にお父さんが体調を崩し入院したと聞きました。でもその時はまだ、私が退院して真っ先に息子を抱かせてあげれば、きっと元気に喜んでくれると思っていたんだよ。

五日後、私がお父さんの病院に着いた時、私を待っていてくれたかのように逝ってしまったよね。息子を抱かせてあげることもできないまま……。

いま、世の中は新型コロナの流行で大変なことになっています。一日一日を乗り越え、みんなで「明日」を元気に過ごせるよう頑張っています。私はお父さんの応援のおかげで、今でも音楽を続け、ピアノを教える仕事をしています。お父さんがしてくれたように、私も子どもたちとよく未来や将来について話をします。「明日」が来ることは当たり前ではないけれど、それでも「明日」を恐れずに希望を持って生きていきたいと思っています。もちろん、お母さんも元気だよ。コロナが落ち着いたら、みんなで集まってお父さんの思い出話をしたいな。

お父さん、幸せな「いま」をありがとう。

ばばちゃんへ

綾（東京都）49歳

お母さん、いや、ばばちゃんへ
あえて「ばばちゃん」と呼ぶね。
あなたは、みんなから「ばばちゃん」と呼ばれ、とても愛されていたから。

思えば私が小さい時から、ばばちゃんはとてもみんなに愛されていたね。
いつでも明るくて人気者だったね。
ひねくれていた私は当時「誰にでもニコニコしてバカみたい。」って心の中で
少し馬鹿にしていたの、ごめんなさい。

大人になってからそれがなんてすごい事って思い知ったよ。

周りに人が集まること、誰かを見返りなしに助けること、いつも前向きで笑顔で明るくて。

本当に太陽みたいだな、って思ってたよ。

「愛子」って名前の通りだな、って。

癌になる前のばばちゃんはとても健康で元気だったね。

風邪もひかなかったし、ずっと働いていたしアクティブで山登りも好きだったね。


私は離婚して1歳の息子を連れて途方に暮れていた時、一切責めずに「一緒に住もう！」って言ってくれたね。

本当に本当に有り難かったよ。


そこからは3人で毎日バタバタと慌ただしく、でも楽しく暮らしていたよね。

あの時が一番幸せだったな。

仕事で忙しい私に代わって息子のお母さん代わりになってくれて感謝の気持ちを伝えると
「全然！　いいのいいの！　私は今とーっても幸せ！　孫と暮らせてお世話できるなんて！」って笑顔で言ってたよね。

私の事も息子の事も怒ったこと無かったくらい温和で優しかったね。

何があっても味方してくれてたよね。

ばばちゃんへ

癌になった時「ごめんね、世話掛けるね。すぐ元気になるからね。」って。
手術に入退院と一番大変なのは自分のくせに
私と息子の事ばかり心配してたよね。

ばばちゃんが亡くなってもう6年だけど忘れた事は無いよ。
嬉しい事、楽しい事、悲しい事、驚いた事。
今でも一番に伝えたいのは、ばばちゃんだよ。

最近ではなんと息子が大学生になりました。
びっくりじゃない？　すごいよね！
たぶん絶対ばばちゃんが見たら驚くよ。背も高くなって成長して。
たくさん褒めてくれるだろうな。

あなたが愛情を持って育ててくれたから、ばばちゃんに似て温和な性格のいい子だよ、わが
息子と思えないくらい。

伝えたい言葉はたくさんあって書ききれないけど。

母へ

たくさん迷惑掛けてごめんなさい。

時には生意気な口を聞いてごめんなさい。

行きたがっていたバラ園、忙しいって後回しにして連れて行けなくてごめんなさい。本当は
無理したら時間は作れたんだけど
来年でいいか、って軽く思ってて気付いた時はもう行けない身体になっちゃってて。

今1人じゃバラ園には行けません。ばばちゃんに悪くって。

後悔の言葉ばかりな私だけど。本当にありがとう。

ばばちゃんの娘で良かった。今でも自慢の母だよ。

あなたが教えてくれたこと

三日月（長崎県）49歳

いつも冗談を言って笑っていたあなたが、そちらへ旅立ってから四年が経ちました。今でもどこかで笑って見てくれてる気がします。

私は小さい頃から、あなたと同じ「どもり」で小学生の時はいじめられては、帰って来ていました。その度にあなたはバイクで送ってくれたり、算盤の習い事で遅くなった時もバイクに乗って帰り道で待っていてくれましたね。あなたの背中にしがみついて見上げた星空はキラキラしていて、何度も嫌なことを忘れさせてくれました。中学生になると反抗し、どもりだったあなたを責めたこともありました。高校は下宿となりほっとしたものです。しかし高校を卒業すると実家へ戻りました。

ずっとどもりで苦しんでいた私に、うぐいす嬢の話がきました。あなたの大親友でもあり、家族で大変お世話になった方の出馬でした。「私に出来るだろうか？」そんな不安と共に神様に試されてるような気がした私は、うぐいす嬢を受けることを決心しました。初日からの緊張に、振り向くと後車で白い手袋をして乗った温かいあなたの顔。「やるしかない！」そうして選挙が終わり、無事に当選。そこには多くの人たちの笑顔がありました。私の一つの大きな挑戦の終わりにも又、あなたの温かい笑顔がありました。

いつも「どもりだから」そんな言い訳ばかりの私に対して、最後まで「どもり」という言葉を一度も話さなかったね。決して特別ではなく、やれば何でも乗り越えていける。言葉にしなくても、いつもそう教えてくれてた。いつも冗談を言いながら何度も何度も。あの時から私の第二の人生がスタートして、あなたのいない今を生きています。あなたも同じ思いで、きっと私にそんな思いをさせたくなかったんだよね。妹を交通事故で亡くして声がもっと出せなくなって、何度も死にたいって思ったよ。先生や周りの人たちにもいっぱい心配かけたり、一人ぼっちで誰の声も聞こえなかった時期もあったよ。でも、ずっと傍で見守ってくれてたよね。今でも強く生きていられるのは、そんなあなたがいてくれたから。あなたが教えてくれたこと、「決して特別ではない」その温かいまなざしに何度も救われ勇気づけられてきた。本当にありがとう。

あなたがよく家の前の大きな柿の木の下に座って、見上げていた空を今、私が見上げています。「決して特別ではない」そうだよね、お父さん！

あなたが教えてくれたこと

五十代からの手紙

おじいちゃんが認知症になった意味がわかったよ！

織田 裕子（東京都）50歳

おじいちゃんへ

もう私達と同じこの世にいなくなってから30年近いね。そちらは、いかがですか？

この間、認知症の人の立場に立った映画をみました。映画は、おじいちゃんが認知症だった時の状況にそっくりでした。衝撃的でした。おじいちゃんの見ていた世界は、こんな風だったのかと。いくつもの複雑な感情が私を揺さぶり、遠心力で押されるようにぐっと胸が重くなりました。おじいちゃん、苦しかったんだね。

おじいちゃんからすれば、自分は何一つ変わっていないのに、周りの世界はまるで異次元の世界が次々と飛びだしてくるみたいに勝手に変わっていく。知っている人たちとも誰一人話が通じない。誰も信用できない。今までの不安の集大成のような状況が繰り広がる。抜け出せない悪夢のループみたいな世界。そんな世界にいたから、あんなに不安定になっていたのですね。

映画のユーモアからか、認知症の行動が滑稽に見えるからか、映画館では時折笑いが起きました。もしかすると認知症の人を現在進行形で介護している人達が「認知症あるある」をシェアし合えた、癒しの笑いだったのかもしれません。当時は私たちもおじいちゃんの言動を笑いました。「いやだ、おじいちゃん変なこと言って。」と笑いとばすしかなかった。あんなに可愛がってくれたおじいちゃんに「おい、そこの小童」と呼ばれ、自分の娘を「あの女」と呼ぶのをみて、悲しもうと思えばいくらでも悲しめた。でも、私たちは笑うしかなかった。仕方なかったし、それでよかったのだと思うけれど、あんなに苦しいのに笑ってごめんね、おじいちゃん。

でも、今の私は一つも笑えませんでした。むしろ笑いの起きる場面では胸が詰まって涙が溢れました。渦中にいた時には見えなかった現実が見えたから。認知症で苦しむおじいちゃんも、周りで振り回され疲弊する大人たちも、訳がわからない中で役に立とうとした私たち孫も、全員が手探りで必死にその時を生きたという事実の重みと尊さを感じたから。

認知症になったおじいちゃんは、長年蓄積してきた心配や不安の感情を爆発させていましたね。でも、最後は静かで穏やかでしたね。全部出し切れましたか？

きっと、あの世に負の感情は持っていけないのですね。もしかして認知症になったのは、心の澱をこの世で出し切るためだったのかもしれませんね。

おじいちゃんは、身をもって教えてくれました。人生に問題は尽きないもの。でも恐れて身構えるのではなく、心配や不安を前にしてもなお穏やかでいられる心を育てなさい。自分の心を置ける平穏な場所を己の中に持ちなさいということを。亡くなって何十年経っても、こうしてまた新しいことを教えてくれて、ありがとう。

ゆうこ

温かい遺体って最高！

和知愛（神奈川県）51歳

「温かい遺体って最高！　光の国への旅立ちまで、こんなに演出できるなんて、我が人生は最高！」

これは母が私に宛てて送ってくれた最後のＬＩＮＥです。

79歳の母は、約10年前に大動脈瘤で、二度の大動脈人工血管置換術を受けました。「せっかく生かして頂いた命、残りの人生をみんなに恩返ししたい」と10年間、川崎幸病院でボランティアとして毎月手芸教室を開いてきました。母と同じ病気で入院している患者さん達に「痛いわよねぇ、分かるわぁ」「でも待っているご家族がいらっしゃるでしょう。頑張って。私もこんなに元気に生きていますから。」と自分の体験を通して励ましてきました。

そんな母が突然腹部の痛みを訴え、病院に運ばれた時には、医師から「人工血管感染で、血栓が全身に飛び散り、治療はもう難しいでしょう」との診断でした。

その言葉を聞いた母は「ありがとうございました。大動脈の破裂で本当はもう亡くなっていたはずの命、10年間も生かして頂いたことに感謝しています。我が人生に悔いなし」と明るく答えたのでした。

母は入院しましたが、感染症対策のために家族でさえお見舞いは禁止されていました。「このまま会えずに亡くなってしまうかもしれない」と思っていたある日、病院から電話があり「お母様がご自分のお通夜をしたいとおっしゃるので、お孫さん３人とお嬢さん（私）とご主人だけ特別に面会を許可します」と連絡頂きました。

病室に入るとすっかり痩せた母から「今まで本当にありがとう。この気持ちを最期に孫達とあなたに伝えたかった。私の人生は本当に幸せだったの。何一つ悔いは無い。今、人生で起きたこと全てに感謝の気持ちでいっぱいよ」と話してくれました。孫達３人も家で書いてきた手紙を渡して、泣きながら母に感謝の言葉を伝えていました。最期に母を囲んでみんなで笑顔の記念撮影。一人一人が抱き合って、本当のお別れをしました。

その夜、母から私宛にきたＬＩＮＥが、冒頭に記した「温かい遺体って最高！　光の国への旅立ちまで、こんなに演出できるなんて、我が人生は最高！」というＬＩＮＥだったのです。

その後数日で母は光の国へ旅立ちましたが、母が素敵なお通夜を演出してくれたおかげで、残された私達に後悔はありません。「きっと今頃、光の国で気持ち良く過ごしているよね」と子ども達3人とよく話しています。

お母さん、光の国の居心地はどうですか？お母さんのような旅立ちはカッコ良すぎて私にはできそうもないけれど、今ある命に感謝しながら最期の最期まで精一杯生きていくこと、これだけはお母さんに負けないように生きていきます！　そしていつか光の国でまた会えた時に「お互い、後悔の無い人生だったね」と抱き合おうね！

大人になったよ

皆藤 和枝（埼玉県）52歳

ロコちゃんお久しぶりです。

元気～？　お空で走り回ってる～？

貴方の頭のてっぺんの匂い、抱いた時の

感触、真っ黒な瞳。気の強さもまだしっかり覚えてます。

小学生の時、シバ犬が帰って来ず毎日泣いてる私に数ヶ月後、父親が「ペットショップ行くぞ」と……そして貴方と出会いました。

フワフワわたあめのような仔犬。

貴方はよく脱走してましたね。

あの時も田んぼ道へ迎えに行くと可愛い走りで飛んで来たその時、臨月だった私をかばう様に先に道路を渡り車に突っ込むとドン‼　と鈍い音と共に「ギャン」と鳴く声。同時にお腹スレスレを通り越し車は去って行きました。

ロコが先に飛び出してなかったらあと数センチで確実に私はひかれてました。

お腹を擦るくらいだったのでお腹の子もダメだったかもしれません。

どうしたら良いかパニックの私を察する様にロコも頑張ってくれて助かってくれました。

体を張って守ってくれ貴方が助けてくれたお腹の子。

たったの2年間だったけど一緒にいてくれましたね。赤ちゃんをみんなが可愛がるのでヤキモチもやいてましたね。

貴方が守ってくれた子は成長しました。

とても優しい子に成長しましたよ。

ロコちゃん……会いたいです。

すごく会いたいです。

ロコ……本当にありがとう。

見てると思うけど14歳の愛犬と今を
生きてます。ロールといいます。

またいつか会った時、一緒に連れて行くから仲良くしてあげてね。

また手紙書くからね。またね。

ボン・ボヤージュ

三橋千鳥（東京都）52歳

お父さん、あなたは家で晩酌をして、気持ちよく酔いが廻り始めると、そばで一緒にお酒を酌み交わしている娘の私に、かならず繰り返し言ってましたね。

「……自分は本当は海が大好きで船乗りになりたかったんだ。だからこそ自分が死ねば、ぜひとも骨を広い太平洋に撒いてほしい。いいか、たのんだぞ」と。

一人娘の私は、寡黙な父にしてはめずらしいその熱い語りを耳にするたび、平凡で真面目で何一つ面白味のない会社員であるところの父の中に、きらきらとした少年性や夢のような青春の残り香を感じ、なおいっそう父のことが好きになりました。

そしてそれと同時に、父の遺言めいた願いを、娘の私ががんばって叶えてあげようと思ったものです。

でも、現実にそのことに直面したとき、もはや父の助けも得られない、私と言う一人の人間は、実にもって微力どころか、無力そのものでした。

父が病気で他界した直後、私がおそるおそる提案するまでもなく、私同様生前の父の願いを知っていた母が、散骨などとんでもない、そんなこととして、この先どこでどうやって供養すればいいの、と憤るように言って却下。

当然親戚一同も、非常識すぎると決めつけ母に味方し、誰一人として父の遺志とも言える散骨に賛成してくれる人はいませんでした。

かくいう私も、たしかに皆の言う通りかもしれない……とあっさり懐柔され、お父さん、あなたの願いを叶えることは出来ませんでした。母たちを説得できなかった気弱な娘を、どうか許して下さい。本当にごめんなさい。

ただし、お父さん、あなたが亡くなってから三年ののち、ちょうど客船に乗って旅をする機会があったので、その際一人ひそかに船上にて、散骨を取り計らうことが出来ました。

と言っても、遺骨など私の手許になかったし、たとえ仮にあったとしても、実にそれは恐れ多いことだったので、私は遺骨のかわりにひとつまみの土を大海原に撒きました。

土は、お父さん、あなたが大事に育てていた植木の土です。これをもって散骨はなされたと、娘のささやかな努力に免じてぜひとも納得していただければと切に願います。

最後に。私はこんな夢想をします——。来世で私たち、船長と船乗りの親子として生まれ変われたら、どんなにかいいことでしょう、と。それまでお父さん、ボン・ボヤージュ。

黒沢先生へ

くうけん（岐阜県）53歳

黒沢先生、お元気ですか。先生が亡くなられて既に十年以上が経過しました。今でも先生が生きておられて、「よう、久しぶりだったな、元気だったか」と、友達のような口調で話し掛けてくれることを期待している自分がいます。

先生がいなかったら私は、現在の教職という職業に就くことは無かったのではないかと思います。全ては先生と出会った、あの全国大会にあります。たまたま先輩から誘われて参加した私と、同僚の先生方と参加した先生が、たまたま相部屋になったことが、先生との出会いでした。

当時私は悩んでいました。大学の教育学部に籍を置きながら、教職課程を学んだり、教育実習を体験したりするうちに「教職には向いていないのではないか」と思い始めた時期だったからです。その思いは、四年生で、卒業が近づくと、ますます強くなっていました。

あいにく教員採用試験にも不合格で、私は卒業するのか、留年するのか、大学院に進学するのか、それとも現場に出て臨時講師として働くのか、選択を迫られていました。あるいは、一般企業に就職するという手もありました。ともかく、自分の進路に自信が持てず、決断ばかりが迫られる中で、自分を見失いがちな時期でした。

先生との出会いはまさに、そんな悩める時期に合致しました。先生はフランクで、人情に溢れていました。初めて出逢った私を誘い、同僚の先生方の輪の中に入れて下さいました。そして、酒を飲みながら、私の悩みを静かに聞いてくださいました。

今でも忘れられないのは、あのときに聞いた先生の言葉です。

「出逢ったばかりで、君のことはよくわからない自分だけど、これだけは言える。君は先生になった方がいい」。

どうしてですか、と問い掛ける私に、先生は続けました。

「悩んで教師になった人は立派な教師になると、自分の経験から言えるからだ」。

あのとき、重かった肩の荷が急に軽くなったことを感じました。

黒沢先生、おかげで今でも私は教職を続けています。退職まであと数年ですが、黒沢先生の言葉に恥じないような教師で終わりたいと思っています。そして、未来ある若者を社会に送り出したいと思っています。それまで天国から私を、温かく見守って下さい。

大好きなお父さんへ

山本 康子（福岡県）54歳

「お父さん　アイスクリーム　食べたい!!」

「よし!!　わかった!!　買いに行こう!!」

小さな私を自転車に乗せてお店に連れていってくれたね。お店に着くと「康子がいちばん好きなアイスクリーム今日はどれかな」私の頭を優しくなでながら、お父さんが言うと「どれにしようかな神様の言う通り」と私は歌って、今日のアイスクリームを決めたね。私が小学校の頃上靴を学校に届けてくれたね。お父さんはそのころから少し髪が白くなっていて、クラスで一番の元気な男の子が誰かのじいちゃん来てる!!　っと言ったのお父さんはにっこり笑って私に上靴を渡してくれたね。学校から帰った私は、はずかしいから学校には来ないで!!　っと大泣きしたね。お父さんはその日、髪をまっ黒に染めてこれでいいかな康子っと笑ったね。

あの時の真っ黒な髪の毛は今までのお父さんじゃない不思議な気持ちだった。

今思うと大きな愛の魔法にかけられちゃったみたい
中学、高校、短大と子供から大人へと成長していく私をそばでそっと見守ってくれたね。結

父へ

婚式の前日、お父さんは「直人くんが旦那さんなら安心だ」と安堵とちょっぴり寂しそうな顔をしてたね。

しばらくして〝おじいちゃん〟とよばれるようになった時、私と同じように三人の息子たちを可愛がってくれたね。

「じいちゃん　アイスクリーム　食べたい!!」
「よし!!　わかった!!　買いに行こう!!」
同じフレーズでね
仕事真面目で家族思いの優しいお父さん
お父さんとのお別れの日
〝康子　ありがとう〟と小さく手を振ってくれたね。
あの日からもうすぐ1年になるよ
魔法がつかえたら　お父さんに逢いたいよ
だけどね、私の心の中のお父さんには
いつも　逢える　そう　いつものように　にっこり笑っているお父さんとね
いっぱいの愛をありがとう。
　ずっと大好きなお父さんへ

康子より

「幸せだったかなあ」

すくちゃ（福岡県）56歳

がんを患って4年。その間に頭に腫瘍ができて、記憶と会話がちぐはぐに。それで話すのもイライラして途中でやめたりしてしまった。でもあれは腫瘍のせいなのにね。もっといろいろ話しておけばよかったな。

在宅医療にして数日で逝ってしまった。早すぎだよ。でも父さんがあんなにはちゃけた人だとは。いつもグレーか黒しか着なかったのに実はピンクがすきだったこと。「あのピンクのタオルケットがいいなあ」「枕カバーはピンクにしてくれ」フッ、ウケる。「カーテンにチューリップをつけてくれるといいな」父さんの口からチューリップっ！自分のベッドと窓枠の位置が並行でないから気に入らんって、そこ気にするとこ？「シュワシュワが飲みたいなぁ」ビールのことだけど投薬中だったからジンジャーエールでご勘弁。すぐばれちゃったけど（笑）飲ませてあげたかったなあ、ビール。自分でおしっこもできなくなり尿瓶を用意。「いいかなー、発射しま～す」って。二人の娘の前だぞ。「あー湯船につかりたいなー」って何度も言ってた。入れてやりたかったなあ。これは今もずっと後悔してる。だってお風呂大好きだったよね。たまに苦しそうに「背中を金づちでたたいてくれー」って。そうだよね、がんと闘っていたんだもんね。でも、わたしたちに陽気にふるまってた。

　父さんは昔から怖い存在で、姉さんもわたしもですます調でないと話せなかった。たくさん話した記憶もない。算数を教えてもらったり（説明が長すぎてお尻がもぞもぞしてたけど）、夏休みの課題で絵を描きに行ったり、大工仕事で邪魔だったろうけどそばで釘打ったり。でも嫌な顔せずそばにいてくれてた。あまり会話はなかったけど。

　父さんは幸せだったのかなあ。父さんが逝ってしまってよく考える。楽しい人生だったのかなあ。わたしは父さんが幸せと思える一部だったのかなあ。いろいろ考える。考えてしまう。

待たせてごめんね。～納骨終わりました～

永野 加代子（栃木県）57歳

子供たちへ

ゴン太、キキ、ジッポ、クルミ　やっと納骨終わりました。

長いことそばにいてくれてありがとう。

納骨が遅くなってごめんね。


正直言うとね、納骨しないかもって思っていたの。

ずっとそばにいて欲しかった。

でもね、私ももうすぐ六〇歳……自分に万が一の時に子供たちのお骨はどうなるんだろう。

ゴミで出されるのだけはいやだ。

全然知らない土地に埋められるのもいやだ。って思ったの。

そんな時に一緒に入れるお墓を見つけたの。

お花もいっぱいあって、大仏様もあって。なかなかいい場所でしょ。

クルミがあちこち走り回るのが見えたよ。

クルミ、大仏様にいたずらしたらダメだよ。


お墓を買うって決めた時は納骨はまだまだ先だと思っていた。

でも、墓石ができて急に納骨しなきゃって思えたの。


お墓を買った後みんなが戻って来ていたでしょ?

家の中に気配を感じていたよ。

喜んでいるのもわかったよ。

だから納骨の決心着いたのかな?

背中を押してくれてありがとう。

家にお骨がなくて寂しいけれど、納骨してよかったと思っているよ。


ゴン太が亡くなって今年で二〇年経つんだね。改めて亡くなった日を見てびっくりしました。

ゴン太、いつも優しく私を支えてくれてありがとう。

私が泣いていると頭をなでてくれたね。困ったような顔してギュッとしてくれたのが忘れられない。

キキはしっかり者のお姉ちゃん。私はいつも怒られてばかりだったね。

お風呂で寝ちゃった私を起こしてくれたね。

それからは長湯するといつも見に来てくれて。

大丈夫だよ、もうお風呂で寝たりしていないよ。。

ジッポはいつもクルミの面倒を見てくれてありがとう。甘えん坊さんなのにクルミの面倒はちゃんと見てくれていたね。でも無理しなくていいからね。

ジッポが食事を食べれなくなって、「ちゃんと食べなきゃダメだよ死んじゃうよ。」って私が言ったら「もう無理だよ」って言ったよね。覚悟していたの？

ムリさせちゃったね。頑張らなくていいんだよ。我慢しなくていいんだよ。

いつでも抱っこするからね。

クルミ。いい子にしている？　いたずらしていない？　お姉ちゃんとお兄ちゃんを困らせていない？

クルミ、正直言うとね、クルミと二人での生活はちょっと不安だったの。

みんなが逝ってしまってクルミと二人になって大丈夫かな、うまくやれるかなって、不安があった。でもクルミもしっかり一人で留守番できたし、頑張っていたよね。

よく二人でお散歩に行ったね。クルミは木に登ったり走り回ったり。途中でウンチするから袋も毎回もって歩いて。それに途中でお水を飲むっていうからいつもお水も持って。

ワンちゃんのお散歩みたいだったね。でも楽しかった。

みんなが亡くなってもう猫を飼わないだろうって思ったけれど、蓮がやってきたの。
みんなの弟だよ。時々仏壇で私と一緒にお線香あげていたから知っているよね。
お墓参りには蓮は連れていけないけれどいつか蓮も一緒にお墓に入るからね。
そして私もいつか一緒になるからね。
それまではこの世とあの世と別々の世界にいるけれど、でもね、心はいつも一緒だよ。
またいつでも家に戻って来てもいいからね。ふらりと遊びに来ていいんだよ。
ここはあなたたちの家なんだから。
そしていつの日か天国でまた一緒に暮らそうね。
その日を楽しみにしているね。

もうしばらくはこの世で修業を積んでいきますので見守ってくださいね。

あなたたちの母より

おらぁ、校長先生になったじゃ

いわて 山太郎（岩手県）57歳

「おんずさん、おんばさん、聞こえるが。おら、学校の先生になったじゃ。」

おれが小さいとき、よく畑でおじいさんの手伝いをしたよね。スコップで土を掘り、耕したよね。眠そうな蛙を起して、そっと土をかぶせたこともあったよ。たぶん、手伝っているつもりで邪魔してたんだよね。おれを見て、「飽きたか。」と聞いたけど、おれは首を横に振って見せた。本当は止めたかったけれど、何だか認めるのが悔しいという気がしていたんだと思う。それに、兄が学校から帰って来るまで、何もすることが無かったから。母さんに「じいさんの畑、手伝ってきた。」と言うと、「えらいね。」と言われるのがうれしかったから。おばあさんは、煎餅や饅頭をくれたから。

おかげで、自分で言うのも何だけど、根気強い子、飽きないで働くことができる子になりました。

おばあさん。こたつでお茶飲みすると、よくおれに、「めんこのちょんこの鼻たらし。」と言ったよね。そして、「どれほどバカでもいいから、人に会ったらあいさつをするんだよ。」と、同じことを何十回、何百回も言ったよね。

おかげで、人に会うとすぐに頭を下げる子になりました。恥ずかしかったけれど、ほめてもらったり、お菓子をもらったりしました。

学校帰りに会うと、おじいさんもおばあさんも、「今日学校で、何を習ってきたの。」と聞いたよね。面倒くさいなと思うこともあったけれど、算数の授業で発表したこととか話したよね。一緒に畑仕事をしていた母さんは、いつもそれを聞いていたんだって。今、母さんは高齢者施設にいるけれど、度々この話をします。

思えば、あの会話が一日の勉強の復習となり、次の日の意欲になっていた。長年、学校の先生をやってきた今頃になって、そう感じています。

根気強く働くこと、人と会ったらあいさつをすること、そして、反省と次へ進む意欲。やっぱりおれは、おじいさんとおばあさんに、人間として大切な部分を育ててもらっていたんだよね。

「おんずさん、おんばさん、ありがとう。見えるが。おらぁ、校長先生になったじゃ。」

見てくれてますか？

こうとん（兵庫県）57歳

貴女が急に逝ってから13年が過ぎました。こちらは何故なのか？　どうして相談してくれなかったのか、わからない事だらけでした。そして今でもわからないままです。

りぃが残していったタマとコウ（犬）はきちんと最後まで育てましたよ。もう我が子の様に育てました。こんな可愛い子達を残して旅立つのには余程の事があったのかと思います。相談してくれればと今クレームです！

お空から見てくれていますか？　お母さんは寝たきり、意思疎通も出来ない状態になり、お父さんも認知入ってきました。りぃのお兄ちゃんも障害プラス認知入ってきてお姉ちゃん一人では中々大変ですよ。

いつも思います。りぃが居てくれたらなと。でもこれもお姉ちゃんに与えられた試練なんでしょう。頑張るからいつも見守っていてね。

りぃへ伝えます。りぃが亡くなった時にお母さんが一人泣きながら書いていたのであろう手帳を見つけました。しっかり聞いてね。

妹へ

泣き濡れて 我が子の遺体の冷たさに
暖かくなれとかおをつけ
老いし母の最後の愛

あせらずとも必ず行ける後世の国
何故りぃは急ぎしや

今日もまた 朝飯（あさげ）供えし仏壇に
早くお食べ 沢山お食べと手を合わす
減らぬお膳の冷たさよ

残されし2匹の可愛い子 さぞや心残りであったろう
後は任せと引き受けて 心も体もボロボロの 三年忌迎える迄はと手を合わす

母の愛届きましたか？
いつかは会えるよね。お姉ちゃんはきっとりぃが待っていてくれると信じてます。

でもりぃ。
お母さん昨日そちらへ旅立ちましたよ。
導いてあげてね。よろしくね。そしてお疲れ様でした。

夫へ

ずっと一緒だよ

有馬 由佳（東京都）58歳

こうちゃん

私、知ってるよ。
いつもキミが側にいること。

ふと見上げた空に彩雲が出ていたり、
若葉茂る葉の先っぽに♡をいっぱい送ってきたり、
いつも小さなサインを出してくれる。

この前なんて、娘と二人でアトラクションの順番待ちしてたら、
「3名ですね」
って言われたけど、後ろに一緒に並んでたでしょｗ

もう大丈夫。とか、もう寂しくないよ。なんて言わない。
今でも、寂しくて悲しくて切なくて苦しくて、
急に号泣しちゃうことあるよ。

でも、
私、知ってるの。

私が笑えば貴方も笑うし、
私が美味しいもの食べれば貴方も嬉しいし、
私が旅行に行けば貴方も「楽しいね」って笑ってる。

だから、
子供みたいに大声で泣いちゃったあとは、
いつもどおり、元気で明るいワタシに戻るから、
今は一緒にこの世界を楽しもうね。

そのかわり、私が、そっちの世界に行った時は、

夫へ

キミが私を案内するんだよ
そっちでも一緒に過ごそうね
ずっと一緒だよ

天国の夫へ

石田 加代子（神奈川県）58歳

きんちゃんが旅立って、1年が過ぎました。あっという間だったよ。そちらの住み心地はいかがですか？　おじいちゃんたちに、「おまえが来るのは20年早いよ」って叱られなかった？　でももう、ガンの痛みや腹水の苦しみからすっかり解放されて、自由にどこへでも行けるのでしょう？

去年、亡くなってすぐ畑のきゅうりにしがみついているアマガエルがいて、「あっ、きんちゃん、こんなところにいたの」ってすぐにわかったよ。だってあのカエル、じっと私を見つめるんだもの。そのあとは庭で甲虫の体をかりてたでしょう？　今年、剪定をしてもらったみかんの木の切り口に、薬を塗っている時も、アゲハ蝶になっていたでしょう？　3月なのに珍しいし、ずっとそばにいたからね。

在宅介護になった最後の10ヵ月は、大切な時間だったね。亡くなる1ヵ月半前、「タバコ、吸わなきゃ良かった。治りたかった……。死ぬのが怖い……」って言ってたね。私は手を握って、「きんちゃんは働きすぎだよ。皆にあてにされて、断れないからね。でも、天国は怖いところじゃないと思うよ。お疲れさまの国だと思うよ。そして生まれかわってきてね、必ず見つけるから」と約束をしましたね。

4人の娘たちも、2人は結婚して、猫の世話もしているよ。うちのとらちゃんは、いつも夜は私の隣にきて、そっと丸まっています。この前、月子（次女）が、寝ているとらを見て、「ねぇ、なんか顔がパパに似ていない？」って言うから、「そうでしょ！　時々パパ、とらの体を借りてるんじゃないかな」って答えました。今年は結婚30年の、真珠婚だったね。今、バロックパールの指輪を捜しているよ。これからもずっと一緒、私はしっかり生きていくから、もう少しだけ待っていてね。

何も言えなくて

池戸 則子（岐阜県）59歳

私たちは障害者のカップルでした。

私が脳性小児麻痺で、彼が筋ジストロフィーでした。

私たちはお付き合いをする時に、「ぼく、あまり長く生きられないけど、なるだけ長生きするから」と言って始めたお付き合いでした。

二人は、今時の人には信じられない事でしょうが、清く正しく美しいお付き合いでした。そんなの愛でも恋でもないと言われた事も多々ありますが、そんなことでめげない二人です。

二人でいるとトキメクから、あの頃は楽しくて楽しくてしかたなかったのを覚えています。

野外ライブにも三回程行きました。

なんとなく、会えない時間が増えていきました。寂しい私です。

彼は、食事が上手く食べられなくなりました。私はあの頃、時代がバブルの真ん中で彼の前で結構美味しい物を食べていました。今考えるとひどく残酷な事をしたなーと思いますが、「ノンノンが美味しい物を食べている所を見ると、自分も食べたような気がする。」と言うヒロヒロでした。

そして、最後まで口から食べたヒロヒロです。

ヒロヒロのママも食事に現れるようになりました。「ノンノンと一緒だからきっと嬉しくて食べられるよ」と言うママです。オムライスやケーキを二人で食べていました。愛のささやき、今も聞こえますよ。「美味しい」と。

車椅子がだんだん辛くなった頃、

「僕は、あなたが生きる事が困難になったらピンクの車椅子で迎えに行く」

約束なのに、ちっとも来ないで夢で会うだけ。

私、今年、還暦です。もうそろそろお越し下さい。

ヒロヒロが入院して呼吸器をつけ始めた頃、涙で涙で何も言えなかった事を恨んでいますか？

あの時の涙で、なんとなく、私が私になれたような気がします。

程なくお星さまになったヒロヒロを見て、心から「ゆっくりして」と言えました。36才でした。

あの頃としては長生きしたねえ。

涙を流すと強くなれるような気がします。今は人前では泣かなくなりました。

ヒロヒロが、私にくれたものは、やさしさと強さと本気に愛することだと思っています。

こうして書いているのは、ヒロヒロがやりたかった、障害を持ち生きる事の大変さを、ヒロヒロの代わりに発信しています。ノンノンは文章が下手だから、一歩ずつではなく、半歩ずつ前に進んでいます。

上から見ていると、ノンノンは下手だなー。もっともっと頑張るもん。

見ていてねえ。そして毎晩、夢で会いたいよ♪

今も、松山千春が好きですか？　私も好きです。寂しいから、今夜も夢でお会いしたいです。

ノンノンより

六十代からの手紙

タクティクス

平形 幸雄（群馬県）60歳

Yさん、生前は二人がお世話になりました。僕にまでの気遣いありがとうございました。弔辞の代わりに、AとTの思いも込めて僕が書きます。

僕らはいつも怒っているか沈んでいるかの三人だった。親や教師や大人達が忘れてしまった、今の僕らが直面している、嫌、に僕らの心が揺れていた。

三人での、学校帰りの夕暮れ時にYさんと初めて会いましたね。Tが顔見知りで、出会えて良かったです。

ブタケツのローレル、勿論シャコタン。カッコよかったです。Yさんはタクティクスの香り、助手席の女の人もいい香りがしました。後から聞いたら、森の精だって教えてくれました。夜景が綺麗な駐車場で、煙草を吸いながら現状の苛立ちを聞いてもらいましたね。学校なんかそんなにこだわるな。身体を周りの奴等より倍使えば何とでもなる。俺がみてやるよ。と言ってくれましたね。後部座席で三人は、タクティクスと森の精の香りに酔ってました。

AとTは今、10ｔダンプで働いている。個人経営だ。ハンドルを握る事に変わりはないが、今や社長さんだ。僕は高校卒業後、東京で働いた。持って生まれた性格だろうか、うつうつとした気持ちを誤魔化しながらも忙しくしてました。

そして昨年の五月にYさんと会いました。二人からYさんの、あらまし、は聞いていました。肺がんで余命半年だとよ、って煙草吸いながら。入院も拒み続けて。二人がYさんに着いてく気持ち、良くわかりました。端から視たら、なんて野暮ですよ。YさんはYさんですものね。惚れ直しました。

AとTが言っていた。あの人は怖くて強くて優しい。今もカッコいいよ、生様が。と。

葬儀で三人で泣いた。森の精の香りの奥様も。

AとTから今、聞いた。Yさんはお前の分のダンプも用意してたんだぜ。帰ってきた時、困らないように。

タクティクス、香水の名前。辞書で調べたら、配置する。と云う意味もある。僕達の人生が困らないように配置してくれたのだ。

僕は声をあげて泣いた。僕は黙って出ていったのに、すみませんでした。

ありがとうございました。

あの時はごめんなさい。

ハルババ（東京都）61歳

今年になって健康だけが取り柄の私でしたがずっと体調不良が続いています。3年前ガンで闘病していた母。よく「どこということはないが、体が重い、だるい。」と言っていました。私は「病は気から。気の持ち様だよ。」と、精神面が原因だと思い、とにかく励ましていました。しかし、病気になって初めてわかりました。どう表現したらいいのか、何か体に違和感があり力が出ない、頑張ろうと思えば思うほど辛い、ということ。あの時励ましの言葉よりもっと優しい言葉をかけてあげればよかった。気が付くのが遅すぎました。

今だったら「辛いよね〜」と共感することができるけど、もうそれも出来ません。

その人の気持ちはその人の身になってみないとわからない。何もする気にならずベッドで寝ていて天井見ながらふと思うこと。母は最期の6か月間ほぼベッドの上で過ごしていたけど、ずっとひとりで天井を見ながら何を考えていたのだろう……、胸が痛いです。

天国で母に会うことが出来たら、あの時は苦しさを全くわかっていなかった、真っ先に「ごめんなさい。」と伝えます。

あの時はごめんなさい。

父へ

今はどうしていますか

くれない（東京都）62歳

ぱーやん（父）今どうしていますか？　バー君（母）やお兄さん達に会えましたか？

去年92歳の1月旅立ちましたね。

バー君が亡くなり、ぱーやんが元気なくて、心配だから私は毎週ぱーやんのところへ行き、畑仕事を手伝い、家の片付けをして、アルバムの整理をしました。

その4年間、沢山ぱーやんと話をしましたね。

16歳で志願兵になったとか自衛隊の頃ローラー車の運転がうまくて教材のビデオになったとか、聞いたこともなかったすごい話でした。


『ひこうき雲』という曲があります。

若い頃はこの曲を聴いて特攻隊を思いました、でもそれは遠い他人の話と思っていました。

ぱーやんは兄さんを戦争で無くした。それは知っていたけど。

どういう状況でその時の心境、景色は知らなかった、知ろうともしなかったです。

2018年3月　それは　大変この曲が似合う話でした。

ゴミ屋敷のような部屋を片付けて、でてきました。
75年前くらいの写真かな。
徴兵に行く時 帰って来られないかもしれないと撮った白黒の写真。
家族写真。左の方に大きな日の丸の旗がありました。
14歳のぱーやんだ。前列の真ん中に兄さんがいました。
「兄さんだ!!」ぱーやんはずっとその写真を見ていましたね。

あの時代は間違っていた。若い男の子が戦争にとられて、お国のために死んでいくことが美しい、美しいのではない、当たり前というか、生きて帰ってきたら恥だ。息子が亡くなったと知らせが入ったら、近所に聞えるような大声で バンザイ バンザイ といわなければいけない。

バンザイなんて言わなくていい 悲しんでいい どんなに悲しんでもいい
あの子は何も 恐れなかった その姿は純粋でどれだけ立派だったことか
悲しみから出られなくてもいい ただひたすら悲しんでいい

この歌を初めて聞いた若い頃、悲しい歌としか思いませんでした。
やっと機能しました。心の奥まで染みてきます。

父へ

「ちいちゃん 写真見つけてくれてありがとう」 この言葉が本当に嬉しかったです。

それに続くようなやまびこも聞いた気がしました。

「写真見つけてくれてありがとう」

ねえ、お父さん聞いてる（あなたに今聞いてほしい事）

宮田 真由美（福岡県）62歳

あなたが亡くなってから2年がすぎましたね。早かったような長かったような。

本当はあなたがどんなふうに思っていたのか聞いておけばよかったと思ったりもしましたが、今は聞かなくてよかったのかなと思ったりもします。

癌と闘った6年余り、あなたは本当によく頑張りましたね。最後の半年は本当にきつかったと思うけど、「みんなが励ましてくれるから頑張るよ」と。

黄疸が出て、胃が癌でつぶされて胃液さえ吐くので入院。胃を切除して直接十二指腸につないでもらって吐かなくはなったけれど、もう何もすることがないとわかると「家に帰るぞ」って、退院しましたね。何も話し合ってないし、家で看取るなんていう話もしていないけどこれが一番自然でした。あなたは家にいるのが当たり前で、私もそれが自然でした。あなたはもう長くはないとは感じていたかもしれないけど、まだ死ぬって現実には思っていないようでしたね、私は家に帰っても1～2か月と思いながら、あなたを見ていると本当はまだ死んだりしないんじゃないかと思ってしまったり。だって、その時期にどうしても行きたかったスイス旅行の準備をしたり、温泉に行こうって予約したり。

スイスはやっぱり駄目だったけど、温泉1泊旅行は亡くなる前日に実現できましたね。「ビール俺も飲むよ」って一口。「おいしい」って。もう、ほとんどしゃべれず、物を飲み込む力もなかったのにね。私が「ありがとう」って言うと、急に意識がはっきりして「どういたしまして」って。これが最後の会話になりましたね。亡くなる少し前に「悲しいな」とつぶやいたあなたに私は何も返せなかった。何か言えていたらよかったのにと後悔したけれど。でも、最期は家で子や孫に見守られて、好きな音楽を聴きながら逝けたのは良かったよね。私は十分やれたのかな、もっと何かできたのではと、どうしても悔やんでしまうけど、家で看取れたことは良かったなと思っています。

あなたが亡くなってから、私は何のために生きてるのだろう、誰のために生きているのだろうって生きている意味がわからなくなりました。だけど、ある人から、「ご主人はあなたにどんなふうに生きてほしいって思ってるかな」と問いかけられ、そうか、私には元気に前向きに生きてほしいと思ってるよね、きっと。亡くなったあなたを悲しませないためにちょっと頑張って前を向いて生きていきますね。あなたは、褒めてくれるよね。

最後まで強がった兄

コアラ（千葉県）63歳

兄が病院に行くというので、念のためついていった。「腸閉塞です。食べたら腸が破裂して死にます。」あまりにも医者があっさり言うので、言葉の意味を理解するのに暫くかかってしまった。食べたら死ぬ。だから点滴。ええっと、それって、このまま入院して、死ぬまで帰れない？　ってこと？　さすがに目の前が暗くなる気がした。兄は大腸癌から膀胱に転移、人口膀胱をつけていた。家には半身不随で寝たきりの高齢な母。その面倒を見る高齢の父。二人に合うことも挨拶することも出来ず、兄はそのまま入院した。私は嫁いでいたが、ほかに面倒を見る人はいない。以後、私は会社から帰ると洗濯物を持って病院へ。待っていた兄に付き添って玄関わきのベンチへ行き、ゆっくりタバコを吸うのが日課になった。白い箱から出て外の風に当たるこのひと時が、兄にとって生きている実感を感じるすべだったのかもしれない。

その後、母が脳梗塞で地元の病院に入院した。軽かったので後遺症は残らなかった。兄は見舞いたいと外出の許可を取った。片道40分の病院へ兄を迎えに行き、母の入院先へ。会談室で久しぶりに親子４人が顔を合わせた。兄は入院当初より体力が衰えていた。車の移動や歩いたり座ったり疲れて大変なはずだが、おくびにも出さず、にこやかに世間話をした。父も母も相槌を打つ。多分これが、父母と兄との最後の邂逅になるだろう。短い会談の後、兄は家に行き、診察に行ったまま帰れなくなった自分の部屋に寄った。だが、階段を自力で歩けずはってあがり、暫く動けなかったという。

眠りは死と等しい。寝たら、目が覚めないのではないか。夜が怖い。そんな恐怖を他人には決してみせない。腸閉塞を告げられた時でさえ、自分の絶望より私が倒れるのではないかと心配した兄。痛み止めを打つと意識がなくなってしまうと、頑なに拒否。私の顔を見ると、いつも飄々としていた。元気な自分を覚えていてほしいと、周りに気付かい、最後まで強がってみせていた。気を緩めたら終わりだと……。

家族の協力のお陰で兄にしてやれるだけのことはやれた。家族に感謝している。お陰で看護の悔いはない。ただ、兄はこの世の何処にももういない。それが、悲しい。

お姉ちゃんへ

村田 富士子（北海道）63歳

想い出してみようと思う、
もう大丈夫と心が言ってるから……

あれは最初で最後の二人だけの雛まつり。63才の姉と54才の妹、美味しいお料理で桃の節句をお祝したね。お姉ちゃん私の分の茶わんむしまでたいらげて御満悦！　病院通い用にと私がプレゼントした派手なバックに大喜びしたね。駅のホームで私を見送りながらそのバックを笑顔で振る姿、私、涙でよく見えなかったよ。

病院通いの頃は桜が満開だったね。行きはいつも雨降りで二人とも無言でトボトボ肩をおとしてうつむいて歩いたね。３日間の治療が終わった帰り道はうって変わって空模様も心も晴ればれして桜の満開のトンネル、ルンルン歩いたよね。笑顔で深呼吸して「いいにおい！」ってお姉ちゃん必ず言ったね。私、涙で桜の香りなんかわからなかったよ。

姉へ

夕焼けが燃えるように赤かった暑い夏の日、手術を終えたお姉ちゃんにやっと会えたね。いっぱいの管につながれながら「もう大丈夫、治ったからね。心配ないからね。」と必死で私に笑顔をみせてかすれる声でいってたね。

私、自分の泣き声でよく聞こえなかったよ。

木枯らしの中落ち葉踏みしめ私たったひとりで病院へむかったよ。最後の私への言葉、「ごめんね。」だったね。あんなに一生懸命話そうとしなくても、私、ちゃんと全部わかってたからね。姉ちゃんにとって、いつでも私は9才も年が下で、オヤツの手作りゼリーを喜び、夏休みの自由研究を手伝って、初出勤の日には「行かないでよォー」と泣いて後を追った幼い妹だったね。

たった八ヵ月の、でも二人で過ごした時間は忘れられない日々になったね。

想い出してみようと決めたのにひとつも想い出になっていない事に気がついた。

お姉ちゃん、会いたいです。

ふじこ

母ちゃんに逢いたい

内田 鈴子（三重県）64歳

「母ちゃん」って、いつでもそこに居るもんと思ってた。

時々、小遣いくれたり、旦那の愚痴を聞いてくれたり、畑で採れた野菜くれたり、その時は当たり前すぎてありがたみがわからなかった。

でも今、財布の中が空っぽでも誰も入れてくれない。野菜は買ってる。仕事帰り、ついつい実家の方に指示器をあげてしまう。「あ！　母ちゃんおらんのや」現実に気づきハッとする。

何でおらんのやろ。母ちゃんやろ、いつでもおるんとちがうん？

少し具合が悪くなり、毎日仕事帰りに実家に寄ってた。母ちゃんの大好きなお刺身買って。

「美味しい・美味しい」って食べてくれた。

それが一か月経ち、半年が経ち、仕事と家庭の事と母ちゃんの事と疲れがピークになってた。

それでも月のうち半分は病院に入ってたので、何とかそこで息抜きをし、又半月面倒を見てた。

「明日から又2週間病院や、帰ってきたら電話するな」

やれやれ、半月の間楽になるわ。

夕食の用意せんでええし、と思っていた所に、その日の夕方

「すうちゃん！　帰って来てん、入院しなくてよかった」と母ちゃんの元気な声。

おもわず「なんで？　なんで帰ってきたん？」

バカな私。入退院ばかりしてて私に心配かけてるから、入院しなくて私が喜ぶと思って、元気な大きな声で「帰って来たよ」と言ったのに、私は私の都合ばかり考えてて、ひどい言葉をかけてしまった

ほんまに最低な娘や。

それから二週間あまりで急に居なくなった。

ごめん母ちゃん。ずっと心に刺さってるわ。あの一言が。

母ちゃん！

いつもずっと本気で話し合ったよな。

二人ともおふざけ大好きやったよな。

母ちゃん！

元気やったやん。声おっきかったやん。

今年はスイカ作らへんの？

母ちゃん！

庭のアジサイ満開やでぇ。

母ちゃんに逢いたい

何でおらへんの？
いっつもそこにおったやん。
逢いたい。又　仲良くケンカしたい。

いっぱい可愛がってくれてありがとう

キミー・オニヅカ（福岡県）65歳

秋になって、柿の季節が来て、柿生産者さんから、「今年は箱買い、いいんですか？」と聞かれたよ。

「あっ、今年からいらないかな。柿好きの兄が亡くなったし。」って言った。

お兄ちゃん、柿が大好きだったよね。

亡くなる前に、「柿が食べたい！」とか言っても、5月じゃ、柿の季節じゃないから、どうしよう？　って、困ったよ。

でも、今まで、何でも私の言うこと聞いてくれた、お兄ちゃんの最後の望みだから、なんとか食べさせてあげたいって、色んな所に問い合わせした。

あんまりいい柿じゃなかったけれど、冷蔵柿があるのを見つけて、高速飛ばして買いに行って、病院に持って行ったら、「よく見つけたなァ」って、ほめてくれたよね。

少ししか食べられないから、おろし器で擂って、スプーンで食べさせたら、

「おいしい！」って喜んでくれたよね。残りの柿、冷蔵庫に残ったまま死んじゃった。

うるさいほど、私のこと気にしてくれて、時々、もういい！　っていいたいくらい、うざく

感じてごめんなさい。

韓国で仕事してたじゃん。帰るたびにお土産！　ってもらっていた、チマチョゴリの韓国人形、段ボール箱いっぱいたまっているよ、どうしたらいい？

お兄ちゃんが香港に行くって言ったとき、

「もう、香港人形いらないよ。お土産はペニンシュラのチョコレートにして！」って言ったじゃん。

「おまえ、空港にペニンシュラのチョコレート、売っとらんかったぞ！　兄ちゃん、あわててタクシーでペニンシュラホテルに行って買って来たぞ！」

って、ペニンシュラチョコレートの箱が1ダース。うれしすぎて、あきれてしまった。

そんな、お兄ちゃん。

子供の頃から、そうだったよね。

私が小学校の修学旅行に行くとき、高校生だったお兄ちゃんは、

「服は、兄ちゃんが買っちゃあけん！」って、夏休みにバイトして、私にスーツと帽子を買ってくれたよね。いまだに、処分できず、箱にはいっているよ。

残りのバイト代で、お母さんにバッグ買ってあげたでしょ。結局、自分のお小遣い、なくなっちゃったけれど、それでもよかったのかな？

「任しときい！　兄ちゃんがしちゃあけん！」

兄へ

って、いつも言っていたもんね。

父が亡くなってから、特に、何かと「兄ちゃんに任せときい！」って張り切っていたね。

時々、うざく感じていた、ごめんなさい。

「もういいって！　自分で決める！　ほっといて！」

って言ったら、「そうや?」って、急に声が小さくなった寂しそうだった。

嫌いで言ったんじゃないよ。本当に、お兄ちゃんが嫌いでいったんじゃないよ。

今、お兄ちゃんがいなくなって、「兄ちゃんに任せときい！」のセリフ、もっと聞きたいよ、言ってよ、と思うのは、私のわがままだね。

いつも、いっぱい可愛がってくれてありがとう！

父への質問

いのかしらやす（東京都）65歳

今、素面ですか？　お酒飲んでいませんか？

あなたが亡くなって、四十年が過ぎようとしています。あなたはいつも、赤い顔と少し臭い息をしていました。毎晩明け方近くまで、色々文句を口にしながら一人で飲んで、僕たち兄弟四人は、あなたのその呪いのような言葉を耳にしながら、毎晩眠りについたものでした。仕事に行くのは三日に一度くらいで、その分、母は朝から晩まで働いていました。六人家族の三食の食事を作り、終わればその後片付け、洗い物、家の掃除、六人分の洗濯をして、中々働かないあなたに代わって、近所の繊維工場に働きに出ていましたね。私は母が家で休んでいる姿はおろか、座っている姿すら見た事がありません。私が起きる前に起きて働いて、私が眠った後で少し横になっていたようです。その間、あなたずっとお酒を飲んでいた。

何故、手伝ってあげなかったのですか？

何故、普通の家の父親のように、外で真面目に働いて、子供と遊んだりしなかったのですか？

戦争に行った事は、そんなに辛かったですか？

銃を手にする事はそんなに辛かったのですか？

父へ

戦友を亡くした事は、そんなに辛かったのですか？

大人になってもお互い無口で、ほとんど何も話すことが出来ませんでしたね。いつかそっちに行ったら、そんな事を教えて下さい。その時は、少し苦いお茶で乾杯です。

戦争を知らない息子より

いつも　あなたと

斎藤エミ子（新潟県）65歳

ハムちゃん「オッス！」お久しぶり。

先週から、一年遅れの「東京五輪」で、にぎやかです。招致決定の時「おれはもう見れないから……」と、寂しそうな顔が忘れられません。そのことは、家族間で禁句としました。

月日の流れは早いもので、私はもう六十五才に。そこで今まで開くことのなかった古い日記を、初めて手にしました。その中には、二十才での出逢いから結婚までの五年間が、鮮明に書かれ当時が、蘇りました。「好きだけど結婚は考えられない人」であり、「好き」と口に出せない思いが、何度となく「別れの手紙」を書くことになりました。しかし、やさしさと強引さに負けてしまった私。「腐れ縁」と思いきや、結婚後の変化でそうでないと気づかされました。あのいつもの毒舌で、「おれは美人でない、お前がいい。目も鼻も口もちゃんとついているから、悲観することはない」と。友人には「女房はハート」と言って、自慢げに話す姿に、好きだった曲名と同じ「あなたのとりこ」になって行きました。またあの時の手紙は、何度かの引越にもかかわらず、手元に残されており、びっくりと同時に「なぜ？」と聞いてみたくなりました。

結婚生活は、ユーモアと明るさと元気さで楽しいものでした。しかし、病気には勝てず、残された日を私の為に、体にムチ打って旅行などたくさんの思い出づくりをしてくれました。ありがとう！ビデオの中に「在りし日のおれ」なんて言って笑っていたけれど……。本来は老後にふたりで、楽しむためにと常に撮り続けて来ました。

今はたくさんのものをもう一度、大切に思い返してみたいです。「お前は、自由になるのだから、好きなことをやれよ。おれがいなくても幸せかもしれない。」と言ってくれ、私は「ひとりで生きて行けるから、大丈夫」というのが本心でした。納骨の時は、天気が大荒れで「生きたい」という思いが、一部風に乗って自由に飛んで行き、うれしいことに三才の孫は、同じ七月二日生まれとなりました。

最近「私の生き方」が決まりました。これからも、いつもあなたと一緒にいたい。
あなたを思っているだけで心が癒され、人生を楽しくやって行けるという結論が出たのです。
だから、安心して下さいね。

後悔先に立たず

土橋 重三（神奈川県）66歳

　手紙を書くのは何年ぶりだろう、年賀状さえ手抜きする私は、ラブレターを含めて妻に手紙をだした記憶がない。初めて出会った時から四八年一度も渡したことがない。どう思い出そうとしても思い出せない、間違いなく今回初めて書くのである。いざ書くとなると何を書いていいか解らない、思いつくままに書くので許してください。

　結婚してから、仕事を言い訳にして家庭のことは任せっきりでしたね、毎日接待を口実にお酒を飲んでは寝るために帰るだけ、子供を育てた記憶は殆どない。孫といると自分の子供の時はどうしたんだろう？　どう遊んでいたんだろうと思うこの頃である。私の年代に多い（私が思っているだけかも）行動パターン①夜遅く帰る②土日はゴルフ③家庭の予定は無視の生活でした。自分の家庭なのに家庭を知らない私でしたね。

　お前が旅だってから十七年私は出向先に転籍して第二の人生に入り、「仕事オンリー」「仕事馬鹿」も転籍と同時にどこかへ消えてしまい、子供達の事を少しは考えるようになりましたが、どう距離をとっていいかわからない。お前が一番嫌いだった煙草も止めた。煙草といえば隠れて吸っても直ぐにばれて怒られていましたね。お酒も止めてしまいました。これは「急性膵炎」

になり止めざるを得なかったのであるが、いままでの悪行の罰があたったと思っている。お前はいつも「あなたがお酒を飲まなければ我が家はどれだけ貯金が貯まっていたでしょうね」と言っていましたね。第三の人生、年金生活となった今、一番思い出す言葉である。今では長男家族と同居して孫と楽しく生活している。でも時々考える。これからの過ごし方？　子供との接し方？　孫との接し方？　お前だったらどうするだろう？　お前と一緒だったらどうしているだろうと思ってしまう自分がいる。一人だから自由気ままでいいだろうと思うかも知れないが、私はお前がいなければ何もできないことに変わりがないのである。初めて出会った時から四十八年、結婚して三十年何も変わらなかったのに、何故変わることができたのだろうか？

答えは大切な人を失ったから、失わないと気づかない私は馬鹿でした。『仕事以外何もできない私を支えてくれてありがとう！』『今頃とってつけたように言ってくれても嬉しくないわ』きっとこのような会話になるだろう。私からの言葉は信じられないでしょうね。

今更謝っても遅いことは、十分解っている。それでも私はあなたと歩んでいきたい。生まれ変わってもずっと！　よろしくお願いします。

美紀へ

コッコちゃん（大阪府）66歳

娘に

15年前の3月8日の朝、玄関でマフラーを巻いて、美紀は会社へ行く身支度をしてたね。「お母さ～ん！」と呼んだ言葉が、美紀の最後の声でした。まさか交通事故に遭うなんて誰が思ったでしょう。その日は弟が、受ける高校へ願書を提出する日で、美紀が帰宅したらその事を伝えようと思っていたのに、弟が受験する高校もわからないまま、翌日に息を引き取りました。一番心配してくれていたのにとても残念です。今は弟も社会人となって頑張ってるよ。

どうして美紀が21才の若さで亡くなったのかわからないけど、ある人から「いい子は神様が欲しがるんだよ」というのを教えてくれて納得しました。美紀は誰にでも優しく、明るく、いつも笑顔で、人の悪口を言わず、お母さんとはケンカしたことなくいつも笑い合っていましたね。美紀には「美紀ちゃんはいい子やね！」と何回も言えたことがよかったと思っています。素直でかわいくて、美紀ちゃんのような子は他にいないと思ってるよ。

生まれ変わったら、美紀はまた女の子がいいと言いました。

お母さんは、男に生まれ変わって家族を大事にすると言いましたが、撤回します。お母さんは今度生まれ変わったらまた女の人に生まれ変わりたい。そして、また美紀を産みます。

ずっとずっと支えてくれてありがとう。

Nさま

小兎（東京都）67歳

あれから1500日、そちらの暮らしはいかがですか。

たくさんの痛いこと、辛いこと、情けないこと……から解放されて、楽になったのよね、それだけが私の救いだけれど、でも、でもズルイよぉ。癌は私の方が先輩だったのに、私の方が年上なのに、先に逝ってしまうなんて。

喪失感と生き残ってしまった罪悪感を、澱のように秘めて抱えています。が、澱をなだめてくれる多くの残像・想い出を残してくださいましたね。

出会いは1994年の職場でした。はじめは、決して恋愛対象になるなど考えられなかった。私はあなたよりずっと年上だったから。そんな私に声を掛けてきたのは、あなたの方が先、驚きでした。その頃は抽選式だった迎賓館の見学が当たったからと誘われたのが初めてのデート。迎賓館の建物や調度品などはもちろん素晴らしかったけど、どちらが話を合わせたのか、見学後のおしゃべりは、もっと楽しかった。

その後、職場では内緒に、スマホなど無い時だったので小さなメモをやりとりして予定を合わせ、初詣に、お花見に、紅葉狩りにと出かけるようになりました。

あなたはカメラに凝って花や風景を撮り、私は五七五を書きとめる、二人で出かける楽しさから、あなたの存在はだんだんとかけがえなく大きくなっていきました。

でも年齢差は如何ともしがたく、あなたは「要らない」と言ったけど、私は欲しかった子供を産む限界もあり、逢えば楽しく幸せを感じると同時に、淋しさやもどかしさもありました。異動でお互いの職場が離れても付き合いは続き、私が癌になった時は、術後の説明を親族代わりに受け、免疫力を上げろとたくさん笑わせてくれました。それなのにあなたがまだ治療法も確立されていない希少癌に罹ってしまった。

出来る限り御見舞いに行き、通院に付添い、セカンドオピニオンやら治療法の説明やらにも同席させてもらいました。肩書きは『パートナー』でした。一度、入院手続きで「サポーターです」と言ったら看護師さんから「どこの福祉団体ですか」と聞かれ、焦ったこともありました。お互いを信頼し愛情が確かであっても、いざとなると、紙切れ一枚の続柄が重たいことが身に沁みました。だからね、納棺式の時に「届」を同封した最後のラブレターを柩に入れさせてもらったの。苦笑いしているでしょうね。私の書くところも空欄で、無地のままの「届」を持て余しているでしょうけど、必ず逢いに行くので待っててね。声は無理でも天国とLINEが出来たらねぇ……。

今でも、これからも、あなたとは天国との『超 超 遠距離恋愛中』と思っていますよ！

先生の遺された言葉

小山しず枝（山口県）67歳

M先生へ。先生が旅立たれてから一ヶ月が過ぎました。享年91才。梅雨なのに明るい空の日でした。

先生と初めてお会いしたのは、中一の5月でしたね。ソフトボール部の入部の日。教室で弁当を食べていた私の横に誰か立ちました。そして、パクパク食べていた顔をのぞいて、ニコッと笑いました。先生でした。「よし、この食べっぷりは合格」。そう思われたのですか。翌日から練習。日の長い夏は練習が終わるのは夜8時前。家に帰って、ご飯はいつも4杯食べましたよ。ハードな毎日でしたが、不思議と辞めたいとは思いませんでした。

さて、先生が話された中で、今でも心に残る三つの言葉があります。

一つ目は「勉強が出来るより、学校を休まないほうが難しい。」あの時は「ふーん。」と聞いていましたが、その後、だんだんとわかってきました。就職してからは、仕事がバリバリ出来るより、会社に元気に通うほうが大事と考えられるようになり、結婚してからは、立派な母じゃなくても、ご飯を毎日用意出来る親になろうと心掛けました。

二つ目は「しい、（私のことはこう呼んでいました）自分を見失うな。」多分、鼻持ちならない自慢気な時か、自信を失ってボゥッとしていた時に掛けていただいたのだと思います。それで「はっ」として目が覚めた感覚を今でも覚えています。

三つ目は「すぐに守備位置に戻れ。」キャッチャーがいつまでも立っていては、ピッチャーは投げられません。自分のポジションにすぐに戻ることで試合は進んでいくのです。家事でも同じことです。包丁も台ふきんも、元々あったところに戻してこそ段取りよく進んでいくからです。

葬儀が終わってから2才年上の先輩がぽつんと言われました。

「中学の時、M先生のこと嫌いだった。でも、社会で働きだしてから先生の大きさがわかったんよ。」

春。部員を連れて列車に乗り、山陰の自分の実家のある山でタケノコ掘り。夏。海のそばで二泊三日の合宿。イカのさばき方を皆に教えて下さいましたね。秋。運動会の始まりの校長先生の挨拶で「今朝早くから、グランドの白線を全て引いてくれた先生がいらっしゃいました。」と話された時「あっ、M先生だ。」とピンときましたよ。冬、雪の日のランニング。先生はそんな日も黒いジャンパーを着てグランドに出て来られましたね。

そんなことを考えていたら、夏空のむこうから先生の声が飛んできました。

「しい、ぼやぼやせんと、すぐ守備位置に戻れ。」

はい。その言葉、ナイスキャッチしました。

お父さんありがとう、大好きです！

夢見る六十代（熊本県）67歳

お父さんが逝ってもう七年になるんですね。

ヘビースモーカーで飲ん兵衛で、度々心配させられましたが、ひょうきんで人情家のお父さんがみんな大好きでした。

十年前、軽い脳梗塞を起こして診察とリハビリが必要になったとき、付き添い役を任された私は車の中と待合室でのお父さんとの会話が何より楽しみでした。

肺がんが見つかって「余命三カ月」と容赦のない宣告を受けたとき、お父さんは断固として入院を拒みましたね。お陰で訪問看護、訪問医療、訪問入浴介護などありがたいサポートを知って助けてもらいました。けれど、2ヶ月が過ぎて、次第にベッドで寝ていることが多くなったときは心配でたまりませんでした。お母さんと二人暮らしだったため、泊まりは兄嫁さん中心で、お兄さんと私は時々行くだけでしたが、「知子さんが泊まりにくるのが一番嬉しいみたいよ」と兄嫁さんに言われたとき嬉しくてたまりませんでした。

床屋に代わって髪を切ったとき、鏡を見ながら失敗した私に「かっこよくなりすぎて、外には行かれんばい」と笑ってくれたお父さん。夫君と泊まりに行ったとき、お粥も入らないのに寝酒を一緒に飲もうと私に焼酎のお湯割りを作らせ、「トンコが薄く作るから、もう一杯飲まんといかんたい」と笑わせてくれたお父さん。夜私の肩を頼りにトイレに行く途中、寝ていたお母さんの額をちょんとつついて、「母ちゃんな、よう寝とるぞぉ」といたずらっぽく言ったお父さん。そんな姿にまだまだ長生きしてくれると錯覚してしまいました。それなのに、宣告された三ヶ月たった頃、お父さんは静かに旅立っていきましたね。

今も目を閉じると「トンコ、トンコ」と呼ぶお父さんの笑顔が浮かびます。最後の三ヶ月にお父さんと娘の時間を持てたことは一生の宝ものだったと心から感謝しています。

お父さん、ありがとう。

お父さん、大好きです。

七十代からの手紙

お父さんのぐちゃぐちゃ料理、本当はうまかった

赤間 登美（兵庫県）70歳

私と夫、老夫婦2人だけの夕食を準備する毎日。2人共それほどの量は食べないが、若いころからの習慣でついつい何種類ものおかずを作ってしまう私。当然、全部は食べきれずに翌朝の食事そして弁当にも同じ物を出す時がある。

そんな時はあれこれ混ぜたり、何かを加えたりしていかにも違うおかずに変身させたりと工夫するのが楽しい。時にはとんでもない物になってしまうこともあるけど。

ふと、幼い頃の記憶が蘇ってくる。戦後間もない貧しい時代、食べ盛りの4男1女を育てるために両親は朝早くから夜遅くまで働いていた。朝早い仕事に出かけて夕方の早い時間に帰ってくる父の方が夕食を作る割合が多かったと記憶している。私は父が料理をするのが嫌で嫌でたまらなかった。何故なら父の作ったおかずの中には色々なものがぐちゃぐちゃになって入っていたから。カレーの中には昨晩のうどんが混じっていたし、うどんには朝の味噌汁の具が入っていた。一番に見た目が良くない！　物のない時代だから、大家族が食べるための量を増やすために残り物はすべて一つの鍋に集められてしまったという感じの父の作ったおかず。

ある時、とうとう私は爆発してしまった。「お父ちゃんのご飯、私は食べたくない！。」小学

校2～3年のころだっただろうか。当然、父は烈火のごとく怒り「そんなら夜ご飯は食べんでもいい」と言い放った。今の様に何かほかに食べるものがあった時代でもなかった。父親似の頑固者の私は泣きながらひもじい腹をかかえて寝るしかなった。

母が茶碗に父の作ったぐちゃぐちゃの物を入れて私のところへこっそり持ってきてくれた。それでも私は「要らん！」と泣きじゃくるばかりだったが、誰よりも私の性格をよく知っている母の説得に負けて「少しだけ」と一口食べてみると「あら？　美味しい」とそのままペロリと一杯食べてしまったのである。

父の年をとうに越した今だから分かる。あの時は何とか家族にお腹いっぱい食べさせたいばかりだったんだね。お父さん、わがまま娘のこの私もそんな気持ちが分かるようになりました。

父へ、感謝を込めて

宗正樹（千葉県）71歳

お父さん、貴方を失って29年になります。その時、私は貴方の亡くなった歳まで何とか生きようと思いました。

そして今あなたが亡くなった71歳になりました。

満71歳で退職し睡眠時間が長くなったのか、貴方と母と過ごした幼い頃のことをよく夢見ます。あなたは家の中のことを何でもすることが出来ました。私が生きて行くうえで必要なことを何でも教えてくれました。

貴方は木型師として会社で働き、休日には鋸、鉋、錐、金槌と木工に必要な作業をすべて教えてくれました。で、夏休みの工作はいつも木工作品でした。船、トラック、飛行機と色んなものを造り、ペンキを塗って作品としました。小学生の時、あなたから木製の裁縫箱を作ってもらったことを覚えています。

綺麗な木目で、一分の狂いもなく蓋を閉めると空気がゆっくりと抜けていきます。檜の良い香りが蓋を開けると今でもします。

古い桐の箪笥を少し小さく作り直した時も驚きでした。取手やコーナー金具を傷めることなく取り外し、箪笥をすべて解体。板を切り、削り、傷んでいる部分は買ってきた桐の板に置き換え、もう一度組み立て直す。外寸法が小さくなっていますから、引き出しも作り直しです。この時竹釘というものを初めて知りました。外表面はサンドペーパをかけ、ニスを薄く塗りました。ニスが桐の板に沁み込むのか少し茶色っぽくなります。取手や金具は錆を落とし、黒の塗料で塗り直します。この時びっくりしたのは、引き出しと箪笥がちょうど良い隙間になっていることでした。上の引き出しを押し込むと下の引き出しが少し出て来る。

あなたの話で、桐の箪笥は湿度によって引き出しとのすき間が、開いたり閉じたりして引き出しの中の水分が着物に丁度良い状態になることを知りました。また、桐の香りが虫を防ぐことも知りました。

あなたに教えてもらったため、家の中のことはなんでもすることが出来ます。家具の修理、まな板の削り直し、包丁研ぎ、庭木の剪定、電気製品のコネクタの修理、障子の張替え、襖の張替え、魚の捌き、男の料理となんでもやることが出来ます。もちろん、あなたの技術には遠く及びませんが、一応使える程度までは何でも修理することが出来ます。

思い返すとあなたから教えてもらったことばかりです。金槌で指を叩いたり、鑿で指を切っ

父へ

たり、色々なトラブルもありましたが、あなたが黙って見ていてくれたおかげです。次の目標は、母の亡くなった86歳までとしました。お父さん、お母さん安らかに。

亡き母へ伝えたい感謝の言葉

早田 マチ子（山口県）74歳

お母さん、そちらの居心地はどうですか？

ある日突然、お別れの日が来ましたね。

私が小学4年生になったばかりのある日、母が倒れたという知らせを受けて姉と村の集会所へ急ぎました。

脳出血、ものすごいいびきがすぅ〜っと静かになり、母は42歳であっという間に亡くなりました。生きている中であれ以上に悲しかったことはありません、あれ以上泣いたことはありません。

弟6歳、妹3歳、私9歳、姉17歳、兄20歳、私と姉の間に二人の子供がいたけど小さい時に亡くなったとか、普通の子だくさんの農家でした。

父親は優しいばかりで頼りなく、兄は大学生で家を離れていて私たち弟妹は年の離れた姉や親戚の方に育てられました。

父親は頼りないくせにどっかのちょっとキレイ目だけどヒステリーなおばさんを連れてきました。

おばさんに責められて父親は呑めない酒を飲んで暴れる、子供に酒を買いに行かせる、妹は継母とその娘たちに虐められる等々の道のりを経て父親は子供たちやいろんな人にあらん限りの迷惑をかけて96歳で亡くなりました。

お母さんが亡くなってもう半世紀以上過ぎました。

お母さん、お母さんが生きていてくれたらほんとによかったのにとずっと思っていました。でもちゃんとお父さんの面倒も皆で最後までみました。そこは褒めてくださいね。

私たち兄弟姉妹、みんなお母さんが亡くなった時の歳をだいぶ過ぎました、みんな元気で労わりあい助け合って、生きています。お母さんの愛とお父さんの反面教師？　で感謝の気持ちを持って過ごせているのかなと思います。

いつも働いているお母さんの姿しか思い浮かばないけど、あなたの娘でよかった、ありがとうございます。

ありがとう、父さん

華木ユウ（北海道）74歳

父さんが亡くなってからもう何年になるでしょうか。あの日、母さんが風邪をひいて仕事を休み、体調が少し良くなった母さんが作った昼食のお弁当を、父さんに届けてほしいと私に言いました。

母さんに頼まれて小学三年生の私は、四十分ほど歩いて父さんの働いている市場に届けました。父さんは、今まで見たことがない程の笑顔で私の頭を撫でて、「ありがとう。母さんのいうことを良く聞いて、母さんを大事にしなさいね」と言ってお駄賃をくれた。

私は帰り道うれしくてスキップしながら、毎日三時にくる近所の紙芝居の飴を買うことを考えていました。

帰宅後、母さんに話していた時突然、市場で働いているおじさんがきて、父さんが倒れたと聞き、母さんと弟と病院に向かった。

とびこんだ病室のベッドで見たのは、医者が両手で父さんの胸を力いっぱい押していた。父さんは真っ青な顔で、口から泡を出したまま意識がなかった。あまりの衝撃で私の記憶はそれでバッタリ止まったまま。そのあとのことは何も覚えていない。

父へ

記憶の中の父さんは物静かで優しかった。一度も怒られたり、ぶたれたこともなかった。ただひとつ厳しかったのは、食事の時には背中を丸めると背筋をきちんとのばすようにと注意され、返事をするときには、「ハイ」と声を出すようにと言われたことだった。

父さんは毎晩、三角のセロファンの袋に入ったピーナッツと一合のお酒を飲み、私と弟が朝目覚めると、昨夜の残りのピーナッツが半分枕元においてあり、父さんと母さんは仕入れに行っていなかった。

父さんの最後に会えたのは私だけだった。本当は母さんに会いたかったにちがいない。あれから母さんはがむしゃらに働いて私と弟を育ててくれました。

父さんありがとう。私たち家族は幸せでした。天国で母さんと会えていますか。

男前の生き方に二度惚れどす！

二度惚れ（京都府）74歳

私はあんたさんの男前の生き方が好きで惚れましたんや。そして一緒になりましたんや。

そんな、あんたさんが体調をくずして三日目、いつものように、あんたさんの好物の平目を煮付け病院に見舞うと、

「やっぱりお前の平目の煮付けは絶品や！」

「まぁ！　お上手ですなァ！」

アハハハ、ウフフフ……笑い合いましたなぁ。

そんな時どした。

突然、あんたさんは真面目な顔をして話しかけてきはった。

「もしもの時には、おれの机の一番目の引き出しをあけるんじゃよ！」

「何を言いなさるがァ！

早う治って家へ帰りまひょなァ。」

「あぁー。」

その日の夜の事でした。

夫へ

病院からの電話で……、あんたさんがあわただしく永遠の旅路に旅立ってしまったことがつげられました。

私はその場にへなへなと座り込んでいました。

どのぐらい経っていたのか……私はあなたの言葉に引き寄せられるように、机の一番目の引き出しを開けていました。

お葬式の段取り、お寺さん、親類、友人達の連絡先。

戒名、お墓まで準備がしてありました。

ものの見事なまでの後始末でした。

(あんたさんの男前の生き方に惚れ一緒になりましたけど……あんたさんは、最後の最後まで男前の生き方を貫きはった。又、二度惚れどす。

あんたさんの大きくて深い愛に感謝状を送ります。

ありがとう……)

静かに手を合わす私でした。

そして、私はあんたさん孝行の真似事をしたかったのに……。

ごめんね。つぶやいていました。

今の幸せはみんなお母さんのお陰

高橋 美知子（東京都）75歳

妹と長女家族と私で、母の葬儀を東京で終え、長女家族が沖縄へ帰り、妹がロスに帰る日、一人暮らしだった母の家を空にするため、廃品回収業者を頼んでいた。回収作業がどの位時間がかかるか分からないので、私は福岡行の最終便の航空券を買っていた。昼過ぎに妹が米国へ帰国する為、成田空港へ向かうタクシーに乗り込んだ。これで本当に一人ぽっちになってしまったと思いながら母の部屋に戻ると、ピンと張っていた糸が切れた様に、急に悲しみと寂しさがドッと押し寄せた。目の前を行ったり来たりする回収業者が白く霞んで見えなくなった瞬間、私の目から滂沱の涙が溢れていた。回収作業が思ったより早く終わりそうになると、最終便に乗るまでの5時間もの間、一人で時間を潰せる自信がなく、パニックになりそうな精神状態になっていた。その時、私の携帯電話が鳴った。幼馴染のK君からだった。亡き母が直ぐ傍にいて、困った私を助ける為に、K君に電話をかけさせてくれたんだと私は確信した。私が母の葬儀で上京してることも知らずにK君は他の用件で電話をしてきたので、今の状況を説明して「辛くて一人で居られないので、最終便に乗る迄の数時間だけ、付き合って欲しい。」と藁にもすがる思いで頼んだ。私は30年前に離婚して女手一つで娘二人を育て上げていたし、K君も数年前に離婚して独身だった。母の家の事を全て終えて最寄り駅で待ち合わせした時、K君は開口一番「今、一番何処に行きたい？」と聞き、母の事に触れない事が有難かった。「若い頃勤めていた職場近くの日比谷公園へ懐かしくて一番行きたい。」と答えると、さっさと私のキャリーバックを持って、切符を買って連れて行ってくれた。こんなに頼りになり優しく、一緒にいてホッとする人は初めてだと心底思った。これは母が選んでくれた人に間違いないと、確信が強くなった。K君は羽田空港までずっと付き合ってくれ、その後もずっと電話で励ましてくれ、それが縁となり、妹や娘や孫達、そして同級生にも祝福され、私とK君は64歳で結婚した。母は常々私に再婚しなさいと言っていて、私が最後に見舞に行った時も、母は「子供のことばかりでなく、自分の将来のことも考えて、結婚して幸せになりなさい。」と病院のベッドの上で私の手を握って言った。亡き母が奇蹟の出会いをさせてくれたお陰で、私は相性ぴったりで心根の優しい夫と再婚し、幸せな家庭を築き上げて今年で11年経ち、元夫のDVのトラウマもやっと消えた。私は母に「今の幸せはみんなお母さんのお陰だよ。」と伝えたい。

やっと会えたね

安藤 知明（大阪府）79歳

やあー、やっと会えたね。飛んでみると近いのなんのって、札幌から一時間半ほどだったよ。今はサハリンと名前を変えてしまってるけど、私にとってはいつまでも「樺太」のままだよ。

あれは、昭和二二年二月だったね。母屋から離れに追いやられて二年目の冬、君は風邪をこじらせたんだね。父さんは医者を探して市内を駆け回ったけれども見つからず、母屋に詰めていたソ連兵に医者の紹介を頼んだのだが、断られてしまった。そりゃ、そうだろう。敗戦国の国民のためにひと肌脱ぐなんてことは、当然しない。

　突然、母さんの大きな泣き声がしたんだ。大人が泣くなんて思ってもいなかったから、びっくりしたよ。それが、君の息を引き取った瞬間だったんだ。母さんの胸にしっかりと抱かれていたよ。母さんの泣き声があまりにも大きかったものだから、母屋のソ連兵がなに事かとすっ飛んできたよ。

　君が亡くなったのが二月で、私たちが引き揚げ船に乗れたのは、それから三か月後の五月だった。

「晴文を連れて帰れないのが、なんとも悲しいわ」と、母さんは頻りに嘆いていたね。

「お前は、晴文の分も生きるんだよ」

母さんはしっかりと、私を抱き締めて、何度も言っていたよ。

引き揚げてきて、北海道の開拓地に入り、父さんも母さんもよく働いたね。

「しばらくは、贅沢はダメよ」

母さんに言われ続けたから、あれこれ買ってとは言ったことがないね。

これは後で分かったんだが、君のお墓をまず建てるのが両親の思いだったんだ。七年かかって、昭和三〇年にふる里に「釋晴純」と刻んだ立派なお墓ができたよ。君の命日には、一家揃ってお参りしたものだ。

父さんも母さんも、君を迎えに樺太に戻りたかったんだが、冷戦が長く続き、叶わなかったんだ。二人とも亡くなるときに、「お前に頼んだよ」と、私の両手をしっかりと握り締めたものだ。

こんなに近いのに、異国のふる里になっちまったんだ。でも、今日は嬉しいよ。君に会えたんだ。さ〜て、連れて帰るぞ！　ふる里の君のお墓はきれいに磨き上げてあるからね。

やっと会えたね

八十代からの手紙

癌の父

丹内 哲郎（埼玉県）83歳

父さん　天国の様子はどうですか。天国はいつもきれいな花が咲き、居心地が大変いい所と聞いています。実は父さんには謝りたいことがあるのです。父さんには一度ならず、二度も騙していたのです。それが私の心にずーと重石のようになっているのです。一つ目は、父さんの病名「癌」を隠していたことです。二つ目は父さんが癌保険を解約した時、直ぐに私が復活させていたのです。

父さんが体調不良で何度か入退院を繰り返した時、癌であることを隠していたのです。今では癌であっても本人に告げるのが普通になっていますが、当時は癌であれば本人に伏せるのが一般的だったのです。けれど家族には医師から癌と知らされていたのです。二つ目は父さんが「日本では癌であっても医者は癌とは言わないから、癌保険そのものが意味がない」と言ってましたね。そして家族の前で癌保険解約の手続きをしましたね。あの時、父さんの解約手続きを、「父さんは癌です」と止める訳にも行かず、ただ黙って見ているしかなかったのです。母も父さんが癌であることを知っていただけに、複雑な思いで見ていたに違いありません。

でも私はあの時、直ぐに保険会社に連絡を入れ、父の状態と状況を説明したのです。だから父さんの解約の書類が保険会社に届いた時には、保険会社から私の職場に直接電話が入ったのです。そして解約返戻金相当額を私が支払うことで、保険の解約即復活の手続きとなったのです。その時保険会社からの私宛の書類は保険会社の社名の入った封筒ではなく、普通の封筒であったのです。父さんに見られても不審がられないように、保険会社の配慮であったのです。父さんを二度まで騙してしまったのです。父さん本当にごめんなさい、心から謝ります。私も高齢になって今は元気ですが、そう遠くない日に天国に招かれると思います。その時は直接謝りたいと思っています。完

今は亡きあの人へ

坂本 孝子（埼玉県）80歳

明さん　少しごぶさたで申し訳無いと思います。実は、某葬祭関連のサービス社で、亡き人への思いとか、生前に伝えたかったことや、感謝の気持を書くという企画のあるのを知りました。もう、数年前から続いているので、そこへ応募してはという話を持ってきて下さった方に、取りあえず「ハイ」と返事をしてしまいましたが、アレッ　私は、何を書いたらいいんだろうって悩んでしまいました。

私と暮した年月よりあなたが、ある日突然逝ってしまった後の方が、ずっと長くって、三十年になります。逝ったあなたへ、私は、せっせと、子供達のこと、近況報告を綴りました。子供達のこともですが、私のことを、きっと、気を揉んで心配していると思うから三十年間、亡くなったばかりの頃は、恋しさと淋しさと、せつなさの手紙ばかりでしたが、今思うと、違う感情もあったのですよ。

春、四月、月遅れの雛の節句の日、娘の、短大の入学式の日でした。あなたは、愛娘を心配し、私に、着いて行かなくても大丈夫かと、何度も聞きましたね。娘は笑いながら、「大丈夫よ、もう私、オトナです！」と、赤いブレザーに、きちんと結んだ白いボーのブラウスの娘は、あなたに手を振りながら、品川の学校へ出かけました。そのあと、「じゃあ行って来るね」と、あなたも出かけたのですが、あなたに、「いってらっしゃい！」と言ったのが、最後の言葉になるなんて、思いもしなかった。午後三時四十分、あなたが倒れて、救急車で運ばれたという電話を受け、私はオートバイを走らせた、町のずっと西の病院へ向って、激しく車が行き交うバイパスを。二度と開かないあなたの目、二度と聞くことのないあなたの声。全てが夢のようでした。数日前の健康診断の結果は異状を認めずだったのに。心臓が、突然動かなくなるなんて……。泣きましたよ。あとからあとから涙があふれて、ゲッソリと、あなたを送ったあと頬や肩がこけました。悲しみの中で、別の思いもあったと書いたのは、どうして？　なのと一緒に、「やりゃあがったな！」という思いです。この私に、三人の子を残して、サッサと逝ってしまうなんて……　子供達が一人前になったら、新婚旅行で泊った信濃路をドライブする筈じゃなかったの？　二人で始めたギターはどうするの？　あなたはいいわよ！　いつ迄も四十九才だもの。私も年をとりました。会う事がなかったあなたの孫が、四人いますよ　だけど、やっぱりあなたに会いたい。

皆さんからのお写真

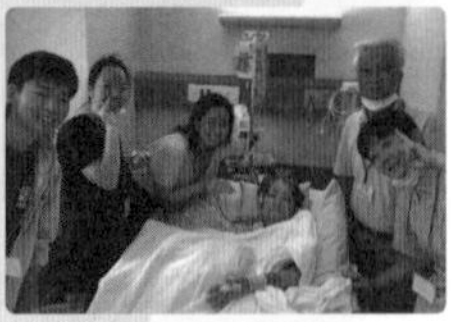

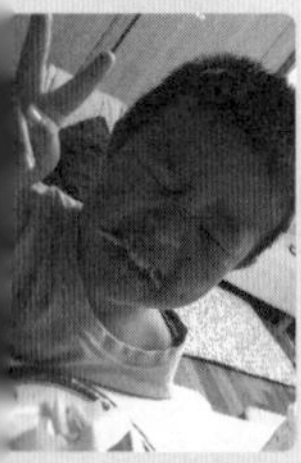

2025
1626

選考講評

選考委員　浅見 昇吾

どの手紙も心のこもったもので、感銘を受けました。このような手紙に順位を付けるというのは本来ふさわしくないことでしょう。申し訳ない気持ちになってきます。それでも選考しなければならないとすると、亡き人に「いま」手紙を書かなければならないという気持ちが強くあらわれているものに注目してみたいと考えました。今回の手紙の中では、樋口未来さんの「五文字の後悔」とペンネーム「You」さんの「生まれてくれてありがとう」から、「いま」手紙を書くことへの特に強い思いが感じ取れました。しかも、後悔の念だけでなく、これからの人生に前向きな気持ちも綴られていて、読者を惹きつけます。村瀬龍市さんの手紙からも、グリーフケアCAFEから戻ってきた「いま」、亡き人に手紙を書きたいという気持ちがよく伝わってきました。亡き人と共有した経験を語るだけでなく、亡き人が知りたいであろうことも織り交ぜながら、「ありがとう」の言葉を様々な視点から心を込めて伝えていて、胸を打ちます。

言うまでもなく、そのほかの手紙からも亡き人への思いがよく伝わってきました。手紙を書く人の状況も、手紙を届けたい人の状況も、さまざま。あらためて、死別のあり方、かなしみの形、感謝の仕方、世界の捉え方の多様性に驚いています。それぞれの人がそれぞれの形で亡くなった人のことを思い返し、亡くなった人に思いを馳せることが、かなしみを深めながらもかなしみを癒やすことにつながるのではないか。貴重な手紙の数々を拝読して、そう感じました。

得がたい経験をさせて頂いたことに、感謝申し上げます。

（上智大学 外国語学部 ドイツ語学科 教授　上智大学 生命倫理研究所 所長　上智大学 グリーフケア研究所 所員）

選考委員　岸本 葉子

私の前にある、亡き人へ充てた手紙形式の言葉。一通一通のいずれも、書けるようになるまで、どれほどの時間を要したか、どれほどの心の経緯があったのか。背後にある道のりの長さを想像すると、身が引き締まります。「亡き人」であることを受け入れがたいところからの出発だったかと思います。

感謝が綴られていました。同じかそれ以上に、後悔が伝わってきました。できなかったこと、しなければよかったこと。もっと生きてほしかった、もっと共にいたかったという無念は、若くして逝った人にも、大往生と言われそうなお年の人にも共通でした。老いや病のため遠からぬ別れが予期された場合でも、死はやはり突然で理不尽なものなのだと、改めて感じます。

「人が亡くなった時、後悔しない人はいないよ」。金賞の樋口さんは、親戚に贈られたというひとことを、手紙を通し私たちに贈ってくれました。樋口さんは亡き人に約束します。「これからは思ったことはしっかり相手に伝えます」。未来へ向けての実践は、何よりの手向けとなるでしょう。

銀賞のＹｏｕさん、別れの前の日のひとことへの後悔と苦しみに、読んで胸を締めつけられましたが、どうかもうご自身を責められないよう願います。そして天国で再会されたとき、よい報告ができますよう。

同じく銀賞の村瀬さん。後悔や詫びはあえて文字にせず、感謝で手紙を埋め尽くしました。グリーフケアの場に出ていることを、お連れ合いは心強く感じているでしょう。

一通一通がすべて真実で、順位は本来つけられません。分かち合いの形式として、順位をつける必要を理解しながら、なお葛藤がありました。

選考を終えた今は、重かったし疲れたけれど穏やかなような、不思議な気持ちです。亡き人への思いを読み、話し合うことが、ひとつのセラピーなのかもしれません。読者にもそうであるよう祈ります。

（エッセイスト）

選考委員プロフィール

浅見 昇吾

上智大学 外国語学部 ドイツ語学科 教授
上智大学 生命倫理研究所 所長
上智大学 グリーフケア研究所 所員
1985年慶應義塾大学文学部卒業。1995年同大学院文学研究科後期博士課程単位取得退学。同大講師を経て、2004年より上智大学外国語学部に赴任。編著に『死ぬ意味と生きる意味』『「終活」を考える』(ともに上智大学出版)。共同編著に『命と絆は守れるか？(宇都宮健児・稲葉剛)』『人生の終わりをしなやかに(清水哲郎、アルフォンス・デーケン)』(ともに三省堂)など。

岸本 葉子

エッセイスト　Eテレ「NHK俳句」司会
1961年神奈川県生まれ。東京大学教養学部卒業後、会社勤務、中国留学を経て執筆活動に入る。著作に『二人の親を見送って』(中公文庫)、『エッセイの書き方』(中公文庫)、『ふつうでない時をふつうに生きる』(中央公論新社)『ひとり老後、賢く楽しむ』(文響社)、『ちょっと早めの老い支度』(角川文庫)ほか多数。同世代の女性を中心に支持を得ている。

清水 祐孝

株式会社鎌倉新書 代表取締役会長CEO
1963年生まれ、東京都出身。慶応義塾大学を卒業後、証券会社勤務を経て1990年父親の経営する株式会社鎌倉新書に入社。同社を仏教書から、葬儀や墓石、宗教用具等の業界へ向けた出版社へと転換。さらに「出版業」を「情報加工業」と定義付け、セミナーやコンサルティング、さらにはインターネットサービスへと事業を転換させた。
現在「いい葬儀」「いいお墓」「いい仏壇」「いい相続」など終活関連のさまざまなポータルサイトを運営し、高齢者の課題解決へ向けたサービスを提供している。

漢字や仮名遣いなどについては、
できる限り、届いたお手紙のまま掲載をしております。

私たちは、明るく前向きな社会を実現するため、
人々が悔いのない人生を生きるためのお手伝いをします。

1984年に仏教書の出版を目的として創業しました。現在は供養・終活専門企業として「いいお墓」「いい葬儀」「いい仏壇」「いい相続」などのサービスを運営し、お客様センターやポータルサイトを通じた相談・情報提供を行っています。
終活インフラを標榜し、「明るく前向きな社会を実現するため、人々が悔いのない人生を生きるためのお手伝いをする」ことを使命としています。お金のこと（遺言・相続など）、からだのこと（介護・終末期医療など）、家族のつながり（葬儀・お墓など）の希望や課題を解決し、高齢社会を活性化することが、未来の希望になると考えています。

社名	株式会社 鎌倉新書
創業	1984年(昭和59年)4月17日
代表者	代表取締役会長 CEO　清水 祐孝
	代表取締役社長 COO　小林 史生
本社所在地	〒104-0031 東京都中央区京橋2丁目14-1 兼松ビルディング3階
代表電話	03-6262-3521
URL	https://www.kamakura-net.co.jp/
従業員数	171名 ※2021年7月31日時点（アルバイト・パート等を含む）
資本金	10億4,107万円（2021年7月31日現在）
決算期	1月
主な事業内容	終活関連サービス事業 マッチングプラットフォームとなるポータルサイト 運営を中心とした、終活に関わる情報サービスの提供

今は亡きあの人へ伝えたい言葉8　2021年版

2021年11月1日　第1版第1刷発行

編　者　「今は亡きあの人へ伝えたい言葉」実行委員会

発行所　株式会社鎌倉新書
〒104-0031　東京都中央区京橋2丁目14-1
兼松ビルディング3F
TEL 03-6262-3521(代)　FAX 03-6262-3529
http://www.kamakura-net.co.jp

表紙画像　PIXTA

装丁　松原由香

印刷・製本　株式会社平河工業社

ISBN 978-4-907642-42-6 C0012